Réseauter
quand on déteste réseauter

Les Éditions Transcontinental
1100, boul. René-Lévesque Ouest, 24ᵉ étage
Montréal (Québec) H3B 4X9
Téléphone : 514 392-9000 ou 1 800 361-5479
www.livres.transcontinental.ca

Pour connaître nos autres titres, consultez le www.livres.transcontinental.ca.
Pour bénéficier de nos tarifs spéciaux s'appliquant aux bibliothèques d'entreprise
ou aux achats en gros, informez-vous au 1 866 800-2500.

Catalogage avant publication de Bibliothèque et Archives nationales du Québec
et Bibliothèque et Archives Canada

Zack, Devora
Réseauter quand on déteste réseauter : comment briser la glace en toutes circonstances
Traduction de: Networking for people who hate networking.
Publ. en collab. avec Éditions de la Fondation de l'entrepreneurship.

ISBN 978-2-89472-481-1 (Éditions Transcontinental)
ISBN 978-2-89521-144-0 (Éditions de la Fondation de l'entrepreneurship)

1. Réseaux d'affaires. 2. Introvertis. I. Titre.

HD69.S8Z3214 2010   650.1'3   C2010-942050-0

Révision : Leila Turki
Correction : Diane Grégoire
Mise en pages : Louise Besner
Illustrations : Jeevan Sivasubramaniam et Jeremy Sullivan
Conception graphique de la couverture : Studio Andrée Robillard
Photo de l'auteur : Na'ama Batya Lewin
Impression : Transcontinental Gagné

© 2010 by Devora Zack
First published by Berrett-Koehler Publishers Inc., San Francisco, CA, USA. All rights reserved.

Imprimé au Canada
© Les Éditions Transcontinental, 2010, pour la version française publiée en Amérique du Nord
Dépôt légal – Bibliothèque et Archives nationales du Québec, 4ᵉ trimestre 2010
Bibliothèque et Archives Canada

Tous droits de traduction, de reproduction et d'adaptation réservés

Nous reconnaissons l'aide financière du gouvernement du Canada par l'entremise du Fonds
du livre du Canada pour nos activités d'édition. Nous remercions également la SODEC de
son appui financier (programmes Aide à l'édition et Aide à la promotion).

Les Éditions Transcontinental sont membres de l'Association nationale
des éditeurs de livres.

Devora Zack

Réseauter
quand on déteste réseauter

Traduit de l'anglais (États-Unis) par Geneviève Roquet

Qui regarde vers l'extérieur rêve.
Qui regarde vers l'intérieur s'éveille.

— Carl Jung

Pour mes hommes*

---

* *Vous n'espériez tout de même pas qu'une introvertie vous en dise plus sur sa vie privée !*

Table des matières

Ce livre constitue une lecture obligatoire

Établissez simplement un lien.
— E. M. Forster, dans *Howards End*

Apprendre le latin en écoutant du grec

Au tout début de mes études de deuxième cycle à l'université Cornell, j'ai assisté à un cours de microéconomie. Voulant sans doute apaiser nos craintes d'étudiants de première année, le professeur nous a dit que, même s'il allait nous montrer beaucoup de graphiques, nous n'avions aucune raison de paniquer. « Considérez-les simplement comme des ordinogrammes, a-t-il continué d'un ton rassurant, et vous n'aurez aucun problème. » Je me suis soudain sentie étourdie. Ma vision s'est embrouillée. À l'époque, j'œuvrais dans les arts et je n'avais aucune formation en économie. Je n'avais jamais entendu parler d'un ordinogramme. J'étais perdue.

Plus tard, j'ai comparé mes expériences de débutante à l'école de commerce de Cornell avec le fait de suivre des cours de latin donnés en grec… sans connaître ni l'une ni l'autre de ces langues. J'avais beau consigner par écrit tout ce qu'on nous enseignait, il suffisait que quelques heures s'écoulent pour que mes notes me deviennent incompréhensibles.

Les personnes qui détestent réseauter se heurtent à ce genre d'écueil quand elles s'astreignent à suivre des règles de réseautage formulées pour une espèce tout à fait distincte de la leur. Manquant de points de repère, elles ne peuvent assimiler les données qu'on leur fournit. En soi, ces données ne sont pas fausses. Elles sont simplement présentées dans une langue étrangère. Ce livre sur le réseautage, lui, utilise un langage que les personnes introverties, débordées ou isolées pourront comprendre. Quelle chance! Vous avez finalement l'occasion d'obtenir la note de passage!

Soit dit en passant, je retourne maintenant à Cornell tous les ans pour enseigner des techniques de réseautage à des étudiants de MBA. On ne m'a toujours pas demandé de donner des cours d'économie, par contre.

Le réseautage pour les gens qui détestent réseauter

Pourquoi produire ce livre? N'est-ce pas comme offrir des recettes de quiches à des personnes allergiques au fromage? Ou s'entourer de fleurs de graminées quand on souffre du rhume des foins? Si vous avez horreur d'une activité qui ne vous est pas vraiment nécessaire, pourquoi la pratiquer? Pourquoi vous torturer?

Ce sont là de bonnes questions.

Sachez que je partage entièrement votre point de vue. Ne gaspillez pas une seule minute de votre temps précieux à faire quelque chose qui vous horripile. Cela ne revient pas à dire que vous devez fermer ce livre sur-le-champ – même si le réseautage et vous, c'est comme l'eau et le vinaigre, ça ne se mélange pas. Non, vous n'êtes pas encore sorti du bois…

Pourquoi? Parce que je vais faire un tour de passe-passe absolument… incroyable. Je vais vous montrer que le réseautage est une activité agréable et enrichissante sans vous faire ingérer de substances hallucinogènes. Alors trouvez-vous un petit tapis de verdure ou une chaise confortable, et plongez-vous dans la lecture de cet ouvrage. Vous ne le regretterez pas.

Dans ce guide pratique, je commence par examiner respectueusement certains truismes concernant le réseautage. Puis je les réduis en miettes. Voici quelques exemples de ces banalités, qui prennent parfois la forme de commandements :

☉ Mettez-vous constamment en avant.

☉ Plus de contacts = plus de chances de succès.

☉ Ne prenez jamais un repas seul.

☉ Assurez-vous qu'on peut vous joindre en tout temps, et ce, par une multitude de moyens.

☉ Faites du « social » aussi souvent que possible.

Jusqu'à maintenant (la réalité est subjective), les livres sur le réseautage s'adressaient aux personnes d'un tempérament particulier, aux personnes se délectant à l'idée de se mêler à une foule d'inconnus dans l'espoir de harponner quelques hors-d'œuvre.

Nous découvrirons bientôt que les gens ayant ce type de personnalité ne représentent que de 30 % à 50 % de l'ensemble de la population. Je suis sûre que, si d'autres auteurs ont omis d'en tenir compte, il s'agit d'un simple oubli de leur part et qu'ils sont bien intentionnés. Néanmoins, la moutarde me monte au nez dès que je pense à la situation dans laquelle se trouvent les 50 % à 70 % de la population auxquels les livres traditionnels sur le réseautage ne s'adressent *pas*. On les néglige. On les induit en erreur. On les embobine. En matière de réseaux, il est grand temps que nous, les négligés statistiques de ce monde, revendiquions notre juste part du gâteau. Ce faisant, nous découvrirons à quel point il est avantageux de comprendre et de mettre à profit notre style naturel dans un contexte de réseautage. Fini le temps où nous étouffions nos instincts !

Pourquoi se donner la peine ?

Qu'est-ce que vous marmonnez, là ? Vous n'aimez pas le réseautage et vous ne lui trouvez aucun intérêt, de toute façon ? Il vous épuise ? Il ne donne pas de résultats, dans votre cas ? Vous manquez de temps ? Ah ! vous n'en avez pas besoin ? En plus d'être de la frime, le réseautage, c'est intéressé, inauthentique, superficiel, machiavélique, manipulateur et inutile ?

Bon, cela suffit. Prenez un bon verre d'eau et ressaisissez-vous.

Si les personnes introverties, débordées ou isolées ne réussissent pas à faire du réseautage traditionnel, c'est qu'elles suivent des conseils qui n'ont pas été conçus pour elles.

D'après mon expérience, les gens qui affirment détester le réseautage croient n'avoir aucun talent en la matière. En fait, c'est l'inverse qui est vrai. Grâce à des dispositions innées, vous pouvez devenir un as du réseautage. Pour le moment, vous suivez tout simplement les mauvaises règles. Les conseils rebattus vous mènent à l'échec, et vous en concluez que vous êtes vous-même responsable de votre insuccès. En outre, vous détestez le réseautage.

Qu'est-ce qui est en jeu?

Seulement ce que vous tenez le plus à réaliser au cours de votre vie. Rien que ça.

Le réseautage vous permettra d'atteindre votre potentiel. Pensez à l'un de vos objectifs principaux : peut-être voulez-vous décrocher un nouvel emploi, obtenir une promotion, nouer une relation professionnelle ou personnelle, rendre le monde meilleur, étendre votre influence, vendre un produit ou un service, écrire un livre, conclure un accord, raffermir une collaboration, bâtir votre réputation, réaliser votre rêve ou faire croître une entreprise.

Le réseautage vous permettra de vous rapprocher de votre objectif. J'ai consacré 15 années au *coaching* de gestionnaires. Durant tout ce temps, je n'ai jamais rencontré quelqu'un qui n'a pas gagné à apprendre à faire du réseautage – un type de réseautage adapté à ses besoins et à ses limites, devrais-je préciser.

Qu'est-ce que le réseautage, au fond? C'est l'art d'établir et d'entretenir des relations qui permettent aux personnes concernées d'obtenir des résultats favorables.

Dans son essence, le réseautage est l'établissement de relations.

Plus vous êtes authentique, plus les réseaux que vous créerez seront solides et utiles. Vous pouvez apprendre des techniques de réseautage qui vous permettront de rester fidèle à vous-même et d'utiliser les ressources dont vous disposez déjà. Plutôt que d'aller à l'encontre de vos tendances naturelles, vous pouvez découvrir comment les mettre à profit – tirer avantage de tous les traits adorables qui font de vous un introverti. Ces traits, qu'on a pu décrire comme des faiblesses, deviendront vos meilleures armes.

Tentant, non?

Le bénéfice espéré

Le temps est votre atout le plus précieux – à moins que vous soyez riche comme Crésus (et encore). Étant donné qu'il ne manque pas de livres sur le réseautage sur le marché, pourquoi consacreriez-vous une seule minute à cet ouvrage-ci? Eh bien, pour différentes raisons:

☺ Vous apprendrez à maîtriser une méthode de réseautage inédite et hyper efficace, présentée en des termes simples et accessibles.

☺ Vous découvrirez dans ces pages des dizaines de conseils et d'actions qui s'appliquent directement à l'atteinte de vos objectifs de réseautage.

☺ Vous trouverez également une multitude d'exemples tirés de la réalité et, plus précisément, de mes propres expériences de travail dans des domaines fort variés.

Prenez un crayon ou un stylo; vous en aurez besoin. On n'avance pas sans effort.

Je suis ravie de vous avoir pour compagnon de route!

Chapitre 1

Bienvenue dans votre guide pratique

Faites-vous confiance. Vous saurez alors comment vivre.

— Goethe

Les gens me disent souvent que je suis extravertie. Et quand je tente de réfuter cette affirmation, ils écartent systématiquement mes objections: « Mais tu gagnes ta vie en animant des séminaires! Tu fais des conférences devant d'énormes assemblées, et tu sembles adorer ça! En plus, tu sais comment chauffer la salle… » Et ainsi de suite.

Ça me rend dingue.

Ces gens n'ont aucune idée de ce que l'introversion est réellement. Pour eux, un introverti est forcément maladroit quand il s'exprime en public ou quand il fait du réseautage.

Ensemble, nous allons pourchasser, battre en brèche et démolir ces idées préconçues.

Votre auteure et guide

Avant d'entreprendre ce voyage en terre inconnue qu'est le réseautage destiné aux personnes détestant cette activité, vous voudrez sans doute vous assurer que vous êtes en bonnes mains. En quoi suis-je qualifiée pour vous guider durant ce périple?

Premièrement, quoi que puissent en dire certaines personnes aussi bien intentionnées que malavisées, je suis une grande introvertie. De plus, je suis presque toujours débordée, et je n'ai pas beaucoup de relations, loin de là! Pour moi, être seule, c'est avoir du plaisir. Après une conversation imaginaire particulièrement stimulante, il m'arrive d'oublier qu'elle n'était qu'imaginaire. Il me faut du temps pour mûrir mes idées avant de m'avancer sur un sujet; si je ne le fais pas, je me retrouve rapidement dans l'embarras. L'idée d'aller à un cinq à sept informel et chaleureux me donne des sueurs froides. Une cacophonie de stimuli externes ne m'emballe aucunement: elle me rebute. Je remarque facilement et naturellement les signaux non verbaux qui échappent à beaucoup d'autres. Je préfère avoir quelques relations profondes plutôt qu'une multitude d'amis de passage.

Ces caractéristiques n'ont aucun rapport avec mon niveau exceptionnellement élevé d'énergie, ma capacité à m'exprimer clairement en public et mon succès professionnel. Elles n'ont pas non plus de lien avec ce qui définit l'introversion, un sujet que j'ai étudié en détail et enseigné pendant plus de 15 ans.

Je suis rapide et vive (type A; vous procéderez à votre propre évaluation page 23). Ces traits ne sont pas censés être liés à l'introversion.

Amusons-nous un peu. À titre d'exemple, je vais vous présenter quelques attributs signalant apparemment l'extraversion. Mais une analyse sommaire de ceux-ci vous permettra de conclure qu'ils peuvent tout aussi bien aller avec l'introversion.

Mon sport préféré est la course.

Selon certains «experts», les introvertis sont plus lents et moins actifs que les extravertis. Quelles sornettes! Songez à la course, un sport fondamentalement solitaire qui exige une concentration intense, soutenue, pendant de longues périodes. Le coureur peut réfléchir pendant la durée entière de sa course. Voilà qui convient parfaitement à l'introverti!

Je présente deux ou trois exposés par semaine.

Ah! cette statistique entre en collision avec la plupart des stéréotypes sur l'introversion. Bien que je sois réservée, je me fais un devoir de dire à mes clients que je suis introvertie (au nom des introvertis du monde entier). Les introvertis sont tout à fait capables de bien s'exprimer en public. En fait, comme ils préfèrent remplir des rôles clairement définis, il se sentent souvent plus à l'aise en dirigeant une discussion plutôt qu'en y participant. De même, nombre d'entre eux se sentent plus à l'aise lorsqu'ils s'adressent à un groupe plutôt que lorsqu'ils errent sans but dans une salle de réception bondée.

J'adore le réseautage.

Nous touchons ici à la raison d'être de ce livre. Je n'ai pas toujours été aussi enthousiasmée par le réseautage. Mais, après avoir découvert quelques techniques merveilleuses, ma façon d'envisager cette activité a changé du tout au tout. Comme moi, vous pouvez faire des découvertes qui vous permettront de maîtriser et d'aimer le réseautage. Vous pouvez même devenir un virtuose du réseautage.

Ça vous semble impossible? Je suis ici pour vous dire que ça ne l'est pas.

Une brève histoire de l'introverti

Bien des lecteurs de ce livre sont introvertis. Au moyen de divers signaux culturels, on leur a probablement fait comprendre, dans le passé, que l'introversion est un problème, un déficit, quelque chose de regrettable qu'il convient de camoufler ou de surmonter.

Depuis leur plus jeune âge, ils reçoivent ce message: le monde appartient aux extravertis. On leur a maintes fois répété, par exemple: «Va jouer avec les autres.» «Prends part au jeu.» «Ton degré de participation en classe fera partie de ton évaluation.» On dit des enfants qui s'effacent à l'occasion d'activités collectives qu'ils sont sauvages, au lieu de louer leur autonomie.

L'introversion est innée, et les préférences qui la signalent s'observent tôt. Enfant, je demandais des jeux auxquels je pouvais jouer toute seule — devant une telle requête, certains parents songent à faire évaluer leur enfant par un psychologue. Une fois devenue mère, j'ai reconnu chez un de mes fils, alors âgé de trois ans, des traits indiquant clairement un penchant pour l'introversion.

TROIS DISTINCTIONS CLÉS

Les introvertis sont *réfléchis, déterminés* et *autonomes*. De ces caractéristiques découlent les distinctions suivantes, fondamentales, entre introvertis et extravertis :

Les introvertis pensent avant de parler. Ils sont réfléchis.	**Les extravertis parlent pour penser.** Ils sont verbomoteurs.
Les introvertis vont au fond des choses. Ils sont déterminés.	**Les extravertis ratissent large.** Ils sont expansifs.
Les introvertis puisent leur énergie dans la solitude. Ils sont autonomes.	**Les extravertis puisent leur énergie dans la compagnie des autres.** Ils sont sociables.

Pourquoi ne pas vous faire plaisir et exprimer ces trois caractéristiques de l'introversion en même temps ? Prenez le temps d'examiner (réfléchi) ces traits à fond (déterminé) pendant que vous êtes seul (autonome). J'attendrai ici.

Peu importe votre tempérament, en mariant vos points forts à des techniques personnalisées, vous serez bien placé pour faire du réseautage tous azimuts. Introvertis, extravertis, *centrovertis* – la définition suivra –, vous pouvez tous profiter de ce guide pratique.

Ai-je mentionné le fait que je suis clairvoyante ? Je sens que vous vous demandez où vous vous situez dans tout ça.

Par ici, Mesdames, Messieurs…

Chapitre 2

L'autoévaluation

Nous ne voyons pas le monde tel qu'il est.
Nous voyons le monde tel que nous sommes.

— Anaïs Nin

Des actes identiques peuvent découler de motivations divergentes : ce constat nous rappelle que décoder un comportement n'est pas si simple.

On me dit souvent que l'observation d'un acte permet de connaître la motivation d'autrui. Cela n'est jamais vrai. Les déductions ne révèlent que les préjugés de l'observateur. Ce sont les raisons *sous-tendant* un comportement qui révèlent l'intention.

Notes de terrain

Choix de petit-déjeuner

Alors que j'animais un séminaire résidentiel ciblant des cadres supérieurs, j'ai mentionné que les introvertis préfèrent habituellement prendre leur petit-déjeuner en compagnie d'un journal plutôt qu'en compagnie d'autres participants. Robert, un extraverti, a tout de suite contesté cette affirmation : «Alors, pourquoi David [un introverti] est-il venu s'asseoir à mes côtés ce matin ?»

J'ai demandé à David de nous éclairer sur ce point. Un sourire aux lèvres, il a offert cette explication : «Je me suis dit que, même si je n'avais pas vraiment envie de m'asseoir avec qui que ce soit – ne le prends pas mal, Robert ! –, j'étais ici pour faire du réseautage ; je devais donc me forcer et m'asseoir à côté de toi.»

«Dans la même veine, ai-je continué, pourquoi un extraverti choisirait-il de prendre son petit-déjeuner avec un participant rencontré pour la première fois la veille ?» Tous les extravertis ont levé la main, mais je n'ai pas eu à décider à qui donner la parole : sans plus attendre, plusieurs ont commencé à déballer leurs réponses : «Ben, on aime parler aux gens… Il y a des gens qui aiment ça, manger seuls ?»

L'ÉLASTICITÉ MENTALE

La souplesse corporelle exige des exercices physiques assidus. Pareillement, il faut faire un effort constant pour développer et conserver une certaine dextérité.

Il en va de même pour la souplesse de l'esprit, c'est-à-dire l'aptitude à ajuster ses réactions en fonction de l'événement ou de l'individu auquel on fait face. L'acquisition et le développement de cette aptitude résultent d'un effort soutenu. L'agilité intellectuelle dépend, notamment, de la capacité à s'adapter aux circonstances dans les plus brefs délais.

Par un curieux hasard, nos amis les neuroscientifiques (qui sont toujours là quand on a besoin d'eux) ont déjà donné un nom à ce phénomène : l'*élasticité*. L'élasticité mentale peut être acquise et favorisée. Par exemple, trouver de nouvelles façons de penser l'accroît. Tout ce qui « étire » l'esprit, que ce soit la résolution de problèmes ou celle de mots croisés, contribue au développement d'une attitude mentale saine et souple. Sur le plan intellectuel, l'élasticité garde jeune ; elle prépare à répondre à des défis au moyen de réactions rapides et novatrices.

La connaissance de soi suscitée par les autoévaluations accroît également l'élasticité mentale. En déterminant vos préférences, vous pouvez développer tous les aspects de votre être. En outre, la connaissance de soi mène à une meilleure compréhension des particularités d'autrui, ainsi qu'à leur acceptation. La perception des différences est aussi importante, sinon plus, que la découverte des similarités.

Ne comparez pas vos caractéristiques intérieures avec les caractéristiques extérieures des autres.

Les jugements négatifs et les critiques découlent souvent d'une erreur de comparaison : de la mise en parallèle de son propre état intérieur avec le comportement (extérieur) d'un autre. Par exemple, votre besoin de ponctuer votre travail de pauses consacrées à la conversation risque de s'opposer à mon besoin de travailler sans interruption. En comprenant que chacun a son style, vous enrichirez vos relations bien plus qu'en portant des jugements erronés et défavorables sur ce qui vous semble étrange.

L'ÉVALUATION DU TEMPÉRAMENT

Deux affirmations sont présentées après chaque nombre de la première colonne. En vous basant sur votre *propre* point de vue, attribuez-vous 3 points en tout pour chaque paire d'affirmations, et ce, de la façon suivante : vous pouvez avoir soit 3 points et 0 point (ou 0 et 3), soit 2 points et 1 point (ou 1 et 2) ; il n'y a pas de demi-points. Par exemple, si l'affirmation A vous semble juste, et l'affirmation B, fausse, A = 3 et B = 0. Si A vous semble partiellement vraie, mais si B vous semble plus juste, A = 1 et B = 2. Répondez spontanément, sans égard à ce que vous croyez être la « bonne » réponse.

1.	A	Le remue-méninges est plus efficace quand on partage spontanément ses idées.
	B	Le remue-méninges est plus efficace quand les sujets sont définis à l'avance.
2.	A	Une journée de congé idéale comprend une période de solitude.
	B	Une journée de congé idéale est passée en compagnie d'autres personnes.
3.	A	Les gens peuvent me considérer comme quelqu'un de secret.
	B	Les gens peuvent penser que je parle trop.
4.	A	Quand je fais du réseautage, je salue la plupart des gens dans la pièce.
	B	Quand je fais du réseautage, je me concentre habituellement sur une ou deux personnes.
5.	A	Je préfère travailler de façon autonome.
	B	Je préfère travailler au sein d'une équipe.
6.	A	Je trouve des idées en considérant les choses dans tous leurs détails.
	B	Je trouve des idées en parlant des choses.
7.	A	Je préfère déjeuner en groupe.
	B	Je préfère déjeuner seul ou en tête-à-tête.
8.	A	Je me sens mal à l'aise quand je dois tenir de menus propos.
	B	J'ai la conversation facile.
9.	A	Je me fais des amis partout.
	B	J'ai peu de vrais amis.
10.	A	J'ai souvent l'impression qu'on me comprend mal.
	B	Les gens me comprennent facilement.
11.	A	J'ai des centres d'intérêt nombreux et variés.
	B	Je m'intéresse à quelques sujets que j'explore à fond.
12.	A	Mes collègues apprennent sans peine à me connaître.
	B	Mes collègues me connaissent mal.

Maintenant, inscrivez vos points dans le tableau ci-contre, et calculez la somme de chacune des deux colonnes de droite.

Résultats de l'évaluation

1.	A =	B =
2.	B =	A =
3.	B =	A =
4.	A =	R =
5.	B =	A =
6.	B =	A =
7.	A =	B =
8.	B =	A =
9.	A =	B =
10.	B =	A =
11.	A =	B =
12.	A =	B =
Totaux	Extraverti =	Introverti —

De 31 à 36 points : Vous êtes fortement introverti ou extraverti

De 25 à 30 points : Vous êtes moyennement introverti ou extraverti

De 19 à 24 points : Vous êtes peu introverti ou extraverti

Alors, comment ça s'est passé ?

Aucun résultat n'est meilleur qu'un autre. Il est impossible de rater cette évaluation !

Le degré de préférence

Commençons par une brève leçon portant sur les évaluations de la personnalité.

Du moment qu'on a un tout petit peu de jugeote, on s'aperçoit qu'il existe plus de deux types de personnalité. La mise en contraste de l'introversion et de l'extraversion (I/E) ne permet pas de conclure que tous les extravertis – ou tous les introvertis – se ressemblent comme deux gouttes d'eau. Si cette opposition est utile pour cerner le style interpersonnel, elle ne rend pas compte des nombreux autres facteurs contribuant à former la personnalité intégrale. En outre, le *degré de préférence,* déterminé au moyen de cette évaluation, indique à quel point l'individu s'identifie à des traits caractéristiques de chaque type (extraverti et introverti).

Les gens qui obtiennent des scores de 25 ou plus en faisant la somme de la colonne «extraverti» sont considérés comme fortement ou clairement extravertis. Ils affichent de nombreux traits typiques de l'extraversion – ou, du moins, ils s'identifient à ces traits.

De même, les personnes qui ont un score de 25 à 36 en faisant la somme de la colonne «introverti» se démarquent clairement sur l'échelle I/E.

Un individu dont le plus haut score (dans l'une ou l'autre colonne) varie entre 19 et 24 se situe dans la catégorie des gens que j'appelle «centrovertis». Si vos résultats tournent autour de 19 ou de 20, il est fort possible que vous changiez de catégorie demain si vous repassiez le test. Un résultat de 18 à chaque colonne (score qui équivaut exactement à la moyenne) n'indique aucune préférence : il signale tout simplement l'appartenance au club des centrovertis. De tels scores n'ont rien de rare et ne devraient causer aucune inquiétude. Tout le monde a certains traits caractéristiques des deux extrêmes : en matière d'introversion ou d'extraversion, tout ce qu'on peut déterminer, c'est le degré de préférence.

VOS RÉACTIONS À L'ÉVALUATION

Les résultats obtenus à ce questionnaire suscitent trois réactions typiques chez les personnes évaluées :

1. C'est bien moi !

2. Je suis au milieu… est-ce normal ?

3. Je savais que ça ne marcherait pas.

Examinons ces réactions de façon plus détaillée.

1. «C'est bien moi !» Voilà une réaction typique, qu'on manifeste quand les résultats de l'évaluation sont conformes à ses attentes et à sa perception de soi. Les personnes qui ont un style marqué sur le continuum I/E se classent souvent dans cette catégorie. Plus quelqu'un s'identifie à une extrémité de ce continuum, plus il trouve que les descriptions de ce style social s'appliquent à lui.

2. « Je suis au milieu… est-ce normal ? » Les gens qui ont cette réaction affichent une légère préférence et se retrouvent au milieu de l'échelle I/E. Ils ont tendance à s'inquiéter de leurs résultats : « Est-ce que ça veut dire que je suis mou, indécis ? » Au contraire ! Ceux qui obtiennent des résultats moyens ont le plus de facilité à entretenir des rapports avec les autres, peu importe où ceux-ci se situent sur l'échelle I/E. Tout le monde peut apprendre à établir des liens avec des personnes ayant un style différent ; cela exige, tout simplement, moins d'efforts de la part d'un centroverti, campé au milieu du continuum I/E. D'autres facteurs – dont la connaissance de soi, le fait d'avoir passé des autoévaluations ou d'avoir accumulé de l'expérience dans le domaine de la communication – favorisent l'établissement aisé de rapports avec des personnes aux tempéraments variés.

3. « Je savais que ça ne marcherait pas. » Parfois, les résultats qu'on a obtenus à une évaluation ébranlent l'image qu'on a de soi, nous incitant à remettre en question la validité de l'évaluation. Ainsi, on risque de dire : « Je crois que je suis extraverti, mais mes résultats indiquent que je suis un grand introverti ! » Si vous vous trouvez dans cette situation, examinez votre façon d'aborder le test. Vos réponses reflétaient-elles votre vraie nature ? Ou se fondaient-elles sur le comportement que vous adoptez dans certaines situations difficiles ? Il se peut que vous ayez appris tout seul à faire preuve de souplesse dans des circonstances exigeant que vous dépassiez vos limites naturelles.

En cas de doute, refaites l'évaluation en vous concentrant sur votre *préférence*, et non sur les aptitudes que vous avez acquises. Gardez à l'esprit vos réactions naturelles, et pas ce que vous considérez comme un idéal. Il existe une autre source de confusion relativement au score obtenu : une mauvaise compréhension des termes *introversion* et *extraversion*.

UN AVERTISSEMENT DE LECTURE ARDUE

Un grand introverti présente des traits révélateurs de son introversion, et ceux-ci sont plus prononcés que dans le cas d'une personne peu introvertie. De même, un grand extraverti présente des traits révélateurs de son extraversion, et ceux-ci sont plus prononcés que dans le cas d'une personne peu extravertie.

Dans ce livre, nous nous concentrerons souvent sur les introvertis et sur les extravertis qui affichent clairement un style social; cela nous permettra de mieux différencier ces deux types. En effet, il est plus facile de comprendre certaines distinctions quand on nous en présente des exemples extrêmes. À l'occasion, il sera question des centrovertis (lesquels s'identifient à certains traits caractéristiques des deux bouts de l'échelle I/E). Ce guide est utile et pertinent pour tous.

Au fil de votre lecture, gardez à l'esprit les résultats que vous avez obtenus au test de tempérament. Si vous avez eu un score plutôt élevé en matière de préférence I/E, un grand nombre des exemples présentés ici vous paraîtront éloquents. Les lecteurs n'ayant qu'une faible préférence I/E trouveront ces exemples plus ou moins pertinents.

Dans le présent contexte, les termes *fort* et *faible* se rapportent simplement au degré d'identification à un style fondamental. Ils n'ont aucun rapport avec le fait d'avoir (ou de ne pas avoir) une forte personnalité, de fermes convictions ou l'habitude de soulever des poids de 200 lb.

Des spécialistes de la physique quantique ont découvert un phénomène extrêmement curieux, pertinent dans le cas du réseautage. Incroyable, non? Grâce à de nombreux tests et à diverses expériences, les résultats de leurs recherches ont été validés.

Voici de quoi il s'agit : on réunit physiquement deux particules subatomiques, puis on les sépare. Dès lors, quand l'une des deux particules subit un choc, l'autre réagit immédiatement, même si elle se trouve à des centaines de kilomètres de la première. On a donné à cet effet le nom d'interconnectivité. Il suffit qu'un contact ait eu lieu une fois entre deux particules pour que leur interrelation subsiste, même en l'absence de liens physiques.

Puisque les gens sont composés de particules atomiques, il est possible d'étendre les ramifications logiques de ce phénomène aux relations humaines. On peut établir un rapport entre cette découverte scientifique et les interrelations qui ont lieu dans le monde des affaires ou au moment du réseautage.

En établissant des points de convergence entre soi et les autres, on « réseaute » de façon beaucoup plus efficace. Si on se découvre des points communs avec les autres, on est plus enclin à nouer des rapports avec eux. La capacité qu'ont les introvertis de se concentrer sur un objectif et de poser des questions réfléchies fait qu'ils sont naturellement plus disposés à forger des relations authentiques, profondes.

On obtient des résultats plus tangibles en cultivant un nombre restreint de relations qu'en gardant dans sa serviette toutes les cartes professionnelles qu'on a reçues. Les introvertis tissent des liens. Pas avec tout le monde, pas tout le temps, certes. Mais ils tendent naturellement à établir des relations durables avec les autres.

En adoptant une bonne attitude, en vous concentrant sur vos points forts et en faisant appel à votre volonté, vous pouvez devenir un as du réseautage. Vous devez tout simplement savoir tirer profit de votre personnalité (ce qui est très pratique, au fond).

Je ferais preuve de négligence si je ne mentionnais pas ceci : établir des relations exige un peu plus d'efforts qu'écouter des messages téléphoniques d'une oreille distraite.

Qui ne risque rien n'a rien.

Suivez-moi jusqu'au prochain chapitre : non sans jubiler, nous ferons éclater certains stéréotypes aussi répandus que réducteurs.

Chapitre 3

L'élimination des stéréotypes

Osez être vous-même.

– André Gide

Des étiquettes telles que *timide* ou *communicatif* n'ont aucun lien direct avec l'introversion ou l'extraversion. Certains introvertis sont communicatifs (comme moi), et certains extravertis se définissent comme timides. Qu'elles soient introverties, centroverties ou extraverties, les personnes performantes disposent de tout un arsenal de comportements, et aucune d'elles n'a besoin de « traitement ».

Si vous être pressé, consultez ce petit tableau préparé spécialement pour vous.

Introvertis	Extravertis
Orientés vers le monde intérieur	Orientés vers le monde extérieur
Pensent avant de parler	Parlent pour penser
Puisent leur énergie dans la solitude	Puisent leur énergie dans la compagnie des autres
N'aiment pas l'excès de stimuli	Aiment les stimuli simultanés
Ont besoin de se concentrer	Ont besoin de distractions
Se concentrent sur les pensées et les idées	Se concentrent sur les gens et les événements
Préfèrent les discussions en tête-à-tête	Préfèrent les discussions de groupe
Accordent de l'importance à la préservation de la vie privée	Accordent de l'importance au partage public

Si vous avez du temps libre, accompagnez-moi jusqu'à…

INTROVILLE ET PLANÈTE EXTRA

À l'insu du grand public, il s'est développé dans le monde deux « cultures » vraiment divergentes, quoiqu'on ne puisse les distinguer en se fondant sur des critères comme le sexe, l'âge, la race, l'ethnie, les capacités physiques ou la taille. Ces deux cultures se caractérisent par des coutumes et des rituels particuliers.

Les résidents d'Introville se caractérisent par la rapidité avec laquelle ils réussissent à s'isoler afin de réfléchir. Par exemple, s'ils se réfugient dans un coin et s'ils regardent dans le vague, c'est qu'ils sont en train de prendre une décision singulièrement importante. Placez-les à l'épicentre d'un tremblement de terre, et ils ne remarqueront rien de particulier s'ils sont en train de cogiter, tellement leur concentration est féroce.

Les indigènes de Planète Extra, eux, se tiennent en meute. Ils partagent spontanément presque tout ce qui leur vient à l'esprit, trouvent régulièrement de nouveaux centres d'intérêt et se font des amis en un tournemain.

Sans doute en raison du mouvement des plaques tectoniques, les deux cultures se sont mêlées l'une à l'autre dans le monde entier, de sorte qu'on peut trouver des spécimens de chacune au sein d'une même famille, même singulièrement unie. Malgré ce métissage, il n'est pas possible de déterminer l'appartenance des gens au premier coup d'œil. Supposons, par exemple, que vous abordiez quelqu'un qui vous ressemble énormément ; vous risquez de vous rendre compte qu'il parle une autre langue que vous, qu'il a des habitudes étranges et qu'il ne comprend absolument pas le but de votre démarche.

Dans chacune de ces cultures, des termes tels que le *respect,* les *relations* et la *détente* renvoient à des concepts entièrement distincts.

Un cours intensif sur l'introversion

Répétez après moi : « L'introversion n'est pas une pathologie ! » Ou contentez-vous de noter cette phrase. Après tout, pourquoi parler ? Ça risquerait de vous faire perdre le fil de vos pensées…

À quels traits associez-vous le terme *introverti* ? Au cours des dernières années, j'ai posé cette question à des milliers de gens. Voici les réponses que j'ai obtenues le plus souvent :

Calme	Timide	Dépourvu d'assurance	Détaché
Gauche	Dénué d'esprit d'équipe	Secret	Cachottier
Entêté	Réservé	Sauvage	Ennuyeux
Impoli	Froid	Distant	Anti-familiarité
Lent	Dépourvu d'énergie	Rêveur	Intello
Borné	Sédentaire	Égocentrique	Isolé
Inintéressant	Fuyant	Négatif	D'humeur changeante

Pas besoin d'être un génie pour s'apercevoir que la plupart de ces termes ont une connotation négative dans nos sociétés.

Pendant des années, les chercheurs ont soutenu que 70 % de la population américaine était composée d'extravertis, et seulement 30 %, d'introvertis. Ce sont ces pourcentages que j'ai dû mémoriser en 1994, alors que je suivais une formation sur l'indicateur de types psychologiques Myers-Briggs (MBTI). Depuis, la proportion est presque passée à 50-50[1].

Je crois savoir ce qui a pu mener à ce changement (bien que je n'aie pas consacré d'étude à ce sujet, je suis convaincue d'avoir raison, et je pense que vous serez d'accord avec moi). Je suis persuadée que la population a toujours été constituée d'environ 50 % d'introvertis. On peut attribuer cette disparité statistique au fait que, auparavant, les introvertis ne répondaient pas aux sondages sur le type de personnalité! J'imagine les 20 % d'introvertis non comptabilisés en train de regimber devant les sondages et de se dire: «Pourquoi devrais-je donner de l'information personnelle à un inconnu?» Un jour, un chercheur futé a dû découvrir une façon de vaincre leurs réticences...

Comment reconnaître un introverti

Comment reconnaît-on un introverti, cette créature fuyante qui n'est pas sans rappeler le caméléon? Eh bien, ce n'est pas évident. En général, les introvertis semblent plus aptes à reconnaître les extravertis que l'inverse. J'ai rarement rencontré un introverti étonné d'apprendre que l'inconnu qui venait de lui raconter sa vie était un habitant de Planète Extra.

Il est plus difficile de déterminer en toute certitude qu'on se trouve en compagnie d'un résident d'Introville. Voici quelques observations qui ont été faites par d'authentiques introvertis et qui portent sur les habitudes révélatrices de leurs semblables.

---

1. Voir Myers, McCauley, Quenk et Hammer, *Myers-Briggs Type Indicator Manual*, Consulting Psychologist Press, 1998.

Comment reconnaître un introverti (suite)

- L'introvertie qu'on appellera X disparaît sans laisser d'adresse de réexpédition, puis refait surface, toute requinquée.
- L'introverti Y prend beaucoup de notes et les consulte avant de parler.
- En voyage d'affaires, Z, elle, prend invariablement son petit-déjeuner à la table la plus éloignée des autres.
- Si les activités et les programmes du soir sont facultatifs, telle introvertie choisit de ne pas participer aux activités et aux programmes du soir.
- Même après avoir passé beaucoup de temps avec vous, telle introvertie ne vous communique pas certains renseignements élémentaires à son sujet.
- L'introverti Q prend son temps avant d'adopter une opinion, mais a de fermes convictions.

Cela m'amène à un de mes exemples préférés, tirés de la réalité. Un participant à un séminaire m'a demandé un jour si le style de personnalité influençait la manière dont des collègues se saluent au travail. J'ai donc voulu savoir comment les gens du groupe se saluaient quand ils se croisaient dans le couloir. Un grand introverti m'a répondu : « Je hausse les sourcils. »

Nous avons tous éclaté de rire, car nous avions touché à la quintessence de l'introversion.

J'espère que votre voyage exploratoire sera fructueux. Avant de vous lancer dans cette aventure, n'oubliez pas de vous munir de patience, de silence, d'un polaroïd et d'un sens de l'humour à toute épreuve. Les introvertis sortent de leur cachette quand on s'y attend le moins.

Ce guide, qui regorge d'exemples et propose plein d'activités, apprendra aux personnes allergiques au réseautage comment tolérer, voire aimer, le réseautage, et ce, grâce à l'utilisation de trois nouvelles techniques maîtresses. Celles-ci sont fondées sur le principe suivant : un réseautage de qualité n'est rien d'autre que l'établissement de relations solides.

Même les fanatiques du réseautage tireront profit de ces techniques. Un extraverti m'a dit un jour, avec raison : « Je crois être plutôt bon en matière de réseautage, mais j'ai bâti mes meilleurs réseaux en forgeant des relations authentiques. » Et voilà !

Principe directeur	Technique maîtresse	Premiers pas
Penser avant de parler	Prendre le temps de réfléchir	Tâter le terrain, cogiter, établir une stratégie
Aller au fond des choses	Assimiler	Se concentrer, apprendre, prioriser
Puiser son énergie dans la solitude	Suivre son propre rythme	Établir un rapport, réfléchir, recharger ses piles

Nous étudierons ces techniques plus à fond dans les prochains chapitres.

**Les introvertis n'ont besoin ni de traitements
ni d'un encadrement particulier.**

La prémisse de ce livre est la suivante : les personnes introverties, débordées ou isolées ont des atouts exceptionnels. De toute façon, quand on exploite sa vraie nature plutôt que de l'étouffer, on peut tout faire.

Êtes-vous prêt à examiner en détail les principes directeurs énoncés précédemment ?

Les introvertis pensent avant de parler (ils sont réfléchis)

Le premier principe se rapporte à la façon de penser. Les introvertis traitent l'information provenant du monde extérieur au moyen de la réflexion, allant jusqu'à noter leurs impressions, leurs réactions ou leurs réponses. À l'opposé, les extravertis privilégient le traitement verbal – ils découvrent ce qu'ils pensent en verbalisant, en « temps réel », ce qui leur vient à l'esprit.

Avant de réagir à une information, les introvertis ont besoin de temps pour l'assimiler. Il leur faut mûrir leur pensée avant de donner une réponse, de sorte qu'ils adhèrent aux idées qu'ils formulent plus fermement que les extravertis, qui se forgent une opinion alors même qu'ils l'expriment. Bien entendu, les introvertis peuvent offrir à quiconque une réponse irréfléchie.

Quand un introverti sympathise avec une autre personne – introvertie ou extravertie –, il devient souvent plutôt bavard. Qui se ressemble s'assemble, mais les contraires s'attirent aussi. Songez à la dernière fois que vous vous êtes découvert des atomes crochus avec quelqu'un. Vous êtes-vous étonné de devenir aussi loquace? Les introvertis ne sont pas nécessairement timides et peu communicatifs. Leur degré de volubilité dépend des circonstances.

**L'introversion se rapporte à l'être intérieur,
non à ce qui peut s'observer de l'extérieur.**

On peut, certes, glaner une ou deux informations au sujet d'un individu en étudiant son comportement. Mais il faut être un observateur singulièrement doué pour déceler les motivations internes de l'introverti.

Conformément au premier principe, qui veut qu'on pense avant de parler, les introvertis (et beaucoup de centrovertis) ont besoin de temps pour planifier leurs faits et gestes. Conséquemment, votre première technique maîtresse consiste à consacrer du temps à la réflexion avant d'amorcer quelque interaction que ce soit. Les introvertis gagnent à établir une stratégie, à définir une approche, à étudier les choix qui s'offrent à eux et à clarifier leurs objectifs avant de se lancer dans l'action.

Les introvertis vont au fond des choses (ils sont déterminés)

Le deuxième principe se rapporte à la façon que nous avons d'être au monde. Quelle est notre zone de confort?

Les introvertis se concentrent férocement sur leurs objectifs, de sorte que leur esprit est souvent absorbé par leur travail, ou par les sujets et par les personnes qui captivent leur attention. Par contre, ils ne s'intéressent pas à n'importe quoi ni à n'importe qui; ils se montrent très sélectifs à cet égard. Le réseautage pour introvertis se fonde sur le fait que ceux-ci se concentrent *plus* sur *moins* d'individus – une pratique qui favorise grandement l'établissement de relations durables.

Quand un sujet pique la curiosité d'un introverti, il l'explore à fond. À la fin de mes présentations, il arrive souvent qu'une foule d'introvertis se pressent autour de moi. Le moins qu'on puisse dire, c'est qu'ils ne sont pas du genre à se précipiter vers la porte dès que la cloche sonne. Enthousiastes, ils viennent me confier que les concepts que j'ai exposés leur ont permis de se voir – et de voir les autres – sous un meilleur jour.

En raison de leur propension à creuser des sujets et à s'absorber dans leur travail, les introvertis tolèrent mal les interruptions. En les arrachant brusquement à leurs tâches, on les heurte, on les désoriente, on diminue leur efficacité. Rien de plus frustrant, à cet égard, qu'une série d'interruptions!

Voici un exemple. Admettons que vous soyez introverti. Vous vous concentrez sur une tâche. Vous *devenez* cette tâche. Vous vous perdez dans le flux du cosmos. Un extraverti se matérialise à vos côtés et vous invite à sortir avec la gang pour faire… enfin, peu importe. Vous refusez poliment. Vous tentez de reprendre là où vous vous étiez arrêté. Impossible. Adieu, flux! Adieu, inspiration!

Un des corollaires fréquents du deuxième principe, c'est que les introvertis n'ont guère (ou pas) tendance à se confier aux autres. Un extraverti n'hésitera pas à divulguer une pléthore d'informations personnelles à son sujet, mais un introverti se montrera généralement circonspect en ce qui a trait à sa vie ou à ses réalisations. Si on l'interroge à cet égard, il risque même de trouver son interlocuteur (sans doute un extraverti) indiscret, inquisiteur, voire impoli.

ASSIMILER

Qu'il s'agisse d'expériences ou de relations interpersonnelles, les introvertis et les centrovertis ont soif de profondeur, et ce besoin dicte leur comportement. S'ils assistent à une conférence, on ne les verra pas papillonner : ils ne dilapideront pas les ressources précieuses, mais limitées, dont ils disposent en placotant avec n'importe qui. Les personnes qui répugnent habituellement à faire du réseautage peuvent bien s'en sortir en se contentant de se concentrer sur une poignée d'individus.

En assimilant les éléments pertinents avant de s'engager, on s'assure un avantage indéniable : on investit moins d'énergie tout en obtenant de meilleurs résultats. Ça, j'ai pu le constater personnellement. Tentant de trouver un éditeur, j'ai décidé d'assister au congrès le plus important organisé dans mon domaine. Avant de me présenter, j'ai fait des recherches, ce qui m'a incitée à aborder un seul éditeur (oui, un seul!). Au congrès, j'ai donc obtenu un unique rendez-vous. Et nous voilà.

Les introvertis puisent leur énergie dans la solitude (ils sont autonomes)

Le troisième principe est lié au soi, plus particulièrement à la façon dont on trouve et dont on préserve l'énergie. Les introvertis sont orientés vers le monde intérieur. Cela signifie qu'ils puisent leur énergie dans la solitude ou auprès d'un intime.

Les personnes très introverties ont grandement besoin de solitude ou de « temps à soi », selon ma propre terminologie. Pour elles, il s'agit d'un élément aussi indispensable à la survie que l'oxygène. Sans moments de solitude, j'ai l'impression de manquer d'air. Sans « temps à soi », un introverti risque de souffrir d'un manque de concentration, de déséquilibre, d'épuisement et d'irritabilité. Il épuisera sa réserve d'énergie. Le fait de combler ce besoin au lieu de le réprimer lui permet d'obtenir des résultats exceptionnels quand il dirige son attention vers des activités sociales comme le réseautage.

SUIVRE SON PROPRE RYTHME

La technique la plus appropriée pour suivre ce troisième (et brillant) principe consiste à se ménager. Il ne s'agit pas seulement d'une bonne idée, mais plutôt d'une démarche obligatoire pour tous ceux qui ont déjà affirmé détester le réseautage. Elle pourrait être décrite comme une boucle continue à deux étapes : on établit des relations réelles, authentiques ; on se retire pour recharger ses piles. On répète.

Notes de terrain

Le travail en équipe

Je sépare parfois les introvertis des extravertis, puis j'assigne une tâche à chaque groupe. Au début, les introvertis ne se parlent pas. La tête penchée sur leur travail, ils ramassent leur stylo, et chacun se met à dresser une liste. Après quelque temps, ils me demandent souvent : « Est-ce qu'on doit faire ça en équipe ? » Je dis oui. Ils établissent alors une liste qui spécifie clairement les idées et les contributions de chacun.

Les extravertis, eux, se lient rapidement l'un à l'autre. Ils sont les premiers à vouloir mettre en commun leurs découvertes et s'exclament : « On peut y aller ! » Ils crient et s'interrompent pour se faire entendre, mais personne ne s'en soucie. Ils ne se consultent pas avant de donner leurs réponses. Personne ne s'en formalise.

Quand les extravertis ont fini leur numéro et que c'est au tour des introvertis de réagir, ceux-ci n'offrent pas toujours de partager leur liste avec l'assemblée. Mais quand cela se produit, ils s'assurent, visuellement ou verbalement, qu'aucun de leurs semblables ne s'oppose à la divulgation des questions discutées. Ils demandent la parole en levant la main, sans crier.

Munis d'une liste courte et précise, ils fournissent des détails additionnels au moment de parler. Ils clarifient et élaborent. Chaque contribution fait l'objet d'une explication, mais ils ne précisent pas le nom de son auteur. Ils considèrent que cette information est personnelle.

Le travail en équipe (suite)

Cet exemple est tiré de centaines de programmes, au cours desquels j'ai pu observer des réactions étonnamment homogènes.

Puisque nous effleurons le sujet, je voudrais dissiper une fois pour toutes le mythe selon lequel les introvertis ne savent pas vraiment travailler en équipe. Les naïfs (veuillez prêter ce livre à un représentant de cette espèce dès que l'occasion se présentera) s'imaginent à tort que, parce que les introvertis se tournent spontanément vers leur être intérieur, ce sont de piètres coéquipiers. Cette logique est boiteuse. Les introvertis peuvent faire des contributions exemplaires à une équipe en raison de leurs qualités typiques, dont la détermination, le souci du détail et la capacité d'aller au-delà des apparences.

Pour prouver que je suis raisonnable, je vais vous concéder ce point : une fois intégré dans une équipe, l'introverti préfère qu'on lui assigne une tâche discrète et qu'on lui accorde l'autonomie dont il a besoin pour s'en acquitter.

QUELQUES AVANTAGES DE L'INTROVERSION

- ۞ Une grande capacité d'observation ➤ l'introverti est apte à décoder les signaux non verbaux les plus subtils

- ۞ Une grande autonomie ➤ l'introverti sait penser tout seul

- ۞ La capacité de se concentrer sur le monde intérieur plus que sur le monde extérieur ➤ l'introverti ne remarque pas ce qui est superficiel ou s'en soucie peu

LES ALÉAS DE L'INTROVERSION

- ۞ Un grand besoin de préserver la vie privée ➤ les extravertis ont parfois l'impression d'avoir des relations à sens unique avec les introvertis

- ۞ La difficulté de s'accommoder des interruptions ➤ le réseautage exige qu'on participe à des conversations décousues

- ۞ Le fait d'être épuisé par les menus propos ➤ le papotage peut réduire à néant la réserve d'énergie de l'introverti

Un cours intensif sur l'extraversion

De prime abord, on peut penser que, par leur nature, les extravertis sont particulièrement compétents en matière de réseautage. Quand je donne mon cours de «réseautage pour extravertis et introvertis», ces derniers sont toujours sidérés de constater que des extravertis suivent volontairement cette formation. Ne sont-ils pas, par définition, des virtuoses du réseautage?

Et pourtant, les extravertis ne représentent que 50 % environ des personnes inscrites volontairement.

Les classes se divisent spontanément selon le tempérament de chacun, et l'aventure commence. Il se trouve que les extravertis ont beaucoup de choses à apprendre des introvertis au sujet du réseautage. Quelle nouvelle renversante! Après avoir fait respirer des sels à ceux qui menacent de défaillir, nous continuons le cours.

Durant ces séminaires, nous évacuons bien des stéréotypes. Il s'avère que même les extravertis se heurtent à des difficultés en matière de réseautage.

Une bonne partie des gens que vous rencontrez – et que vous tentez d'intégrer à votre réseau – sont extravertis. Bon, ressaisissez-vous. Munissez-vous d'un stylo et de jumelles, et (si vous n'êtes pas vous-même extraverti) partez à la découverte de cette culture mystérieuse.

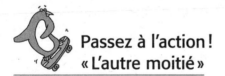 **Passez à l'action!**
«L'autre moitié»

Finissons-en avec le mythe de l'extraverti! Notez ci-dessous votre perception des extravertis et votre jugement.

Au besoin, annexez des feuilles supplémentaires. Il faut se défouler de temps en temps.

À certains de mes séminaires, les extravertis et les introvertis dressent ensemble une liste de descriptions stéréotypées des extravertis en milieu de travail. Attachez votre ceinture!

Bruyant	Effronté	Égocentrique	Grande gueule
Frimeur	Sûr de soi	Manipulateur	Excessif
Disposé à se mettre en avant	Déplacé	Loquace	Désireux de toujours attirer l'attention
Importun	Beau parleur	Lèche-botte	Sociable
Agaçant	Agressif	Ignorant	Superficiel
Frivole	Faux jeton	Fouineur	Bavard
Doté de l'esprit de chapelle	Fasciné par soi-même	Peu doué pour l'écoute	Égoïste

En plein le type de personnes qu'on a envie de fréquenter, n'est-ce pas?

Cette liste reflète l'idée que chacun peut se faire d'un extraverti; mais, d'un point de vue empirique, tous les jugements présentés précédemment sont faux. Aussi faux que «deux plus deux font trois».

D'ailleurs, on l'admettra volontiers pour peu qu'on se serve de sa tête. Mais on ne se sert pas toujours de sa tête. Comme le chantent les Lemonheads: «Il m'est sorti de la tête que je pouvais me servir de ma tête[2].»

Voilà qui est bien dit!

Vous souvenez-vous du tableau mettant en rapport les traits caractéristiques des introvertis et leur style préféré de réseautage? Les extravertis méritent bien d'avoir leur propre tableau, non?

Principe directeur	**Technique maîtresse**	**Premiers pas**
Parler pour penser	Bavarder	Discuter, verbaliser, papoter

---

2. Version originale: «*It slipped my mind that I could use my brain*», The Lemonheads, «Rudderless», *It's a Shame About Ray*, Atlantic Records, 1992.

Ratisser large	Se mettre en avant	Développer, participer, élargir
Puiser son énergie dans la compagnie des autres	Faire la fête	Faire du social, dialoguer, rencontrer des gens

Dans un des chapitres suivants, nous entrecroiserons délicatement les deux styles préférés (I/E), un peu comme si nous tressions des cheveux. Tout vient à point à qui sait attendre. Pour l'instant, nous nous aventurerons plus loin en terre extravertie.

Les extravertis parlent pour penser (ils sont verbomoteurs)

Les extravertis sont portés à s'exprimer verbalement. En cela, ils tracent une des grandes lignes de démarcation entre leur territoire et celui des introvertis. Permettez-moi de me répéter : les extravertis parlent pour penser. De cette distinction fondamentale entre leur nature et celle des introvertis découlent de nombreuses autres différences.

Les extravertis peuvent émettre des opinions qu'ils désavoueront quelques instants plus tard. Ils éclaircissent leurs idées en les formulant – on est très loin des us et coutumes d'Introville (les résidents de cette ville, enclins à peser leurs mots, s'irritent d'ailleurs de la volubilité irréfléchie des extravertis).

BAVARDER

Les extravertis se mettent sans peine en mode réseautage. Parce qu'ils sont des adeptes du verbe, ils n'ont aucune difficulté à tenir de menus propos. Ils préfèrent presque toujours la discussion au silence.

À mes cours de yoga, je rencontre des introvertis et des extravertis. Chaque cours se termine par une période de relaxation, qui doit permettre aux participants de se concentrer et d'atteindre un état d'équilibre optimal avant de quitter la pièce ; bref, d'accumuler une réserve d'énergie. Durant cette période, les introvertis font tout pour éviter de briser le magnifique silence ; ils vont même jusqu'à marcher sur la pointe des pieds. Et les extravertis ? Dès qu'on arrête la musique New Age, ils entament de vives conversations : « C'était génial, hein ? Je me sens merveilleusement bien ! »

Les extravertis sont expansifs

Alors que les introvertis s'investissent à fond dans leurs projets et dans leurs relations, les extravertis cultivent la variété, sur le plan des expériences ou sur le plan des centres d'intérêt. Ils ratissent large, tandis que les introvertis se concentrent sur un nombre restreint de sujets, de centres d'intérêt et de gens.

Les extravertis sont susceptibles de s'intéresser sincèrement, quoique brièvement, à une panoplie de sujets. Cette tendance leur est très utile dans les contextes favorisant le réseautage, car elle leur permet de frayer avec toutes sortes de personnes. Ils pourraient dire : il faut de tout pour faire mon monde.

Ils aiment évoluer dans des environnements caractérisés par une multitude de stimuli, d'activités et de possibilités. Plus, c'est mieux. Ce qui est une cacophonie pour l'introverti est une symphonie pour l'extraverti.

SE METTRE EN AVANT

Les extravertis sont des fonceurs. Ils sont presque toujours disposés à goûter à la nouveauté, qu'il s'agisse d'expériences, de groupes, de conversations ou d'activités sociales. Ils sautent sur l'occasion d'élargir leur réseau, privilégiant la quantité de contacts au détriment de la profondeur des relations. Ils s'accommodent fort bien du recoupement de leurs réseaux professionnel et social, et sont enclins à se mettre en avant pour les faire croître.

Grâce à leur penchant pour les activités de toutes sortes (voire à leur besoin de pratiquer toutes sortes d'activités), ils peuvent vendre leurs services à des publics très variés.

Les extravertis puisent leur énergie dans la compagnie des autres (ils sont sociables)

Les extravertis se requinquent en « faisant » du social. J'insiste : ils trouvent les menus propos *stimulants*. Cela semble quasi incompréhensible aux introvertis, pour qui le papotage est synonyme d'épuisement. Et pourtant – il faut bien l'avouer si nous voulons être sincères –, cette caractéristique peut susciter notre jalousie...

Au cours de mes séminaires, il arrive qu'un extraverti lance une remarque de ce genre : «Je peux parler de n'importe quoi avec n'importe qui.» Bouche bée, les introvertis fixent l'auteur de cette phrase avec stupeur ; ils sont aussi éberlués que s'ils avaient vu un ovni.

FAIRE LA FÊTE

Pour les extravertis extrêmes, toute interaction sociale – peu importe sa qualité et sa durée – semble préférable au silence. Cela est vrai à toute heure ou presque.

Les grands extravertis trouvent reposant et enrichissant de bavarder avec leurs collègues. J'ai entendu d'innombrables extravertis affirmer que le réseautage représentait la partie la plus facile de leur travail. Ils n'ont aucune difficulté à engager la conversation avec des étrangers. Les activités sociales liées à leur emploi constituent souvent l'aspect le plus gratifiant de leur travail. Que la fête commence !

QUELQUES AVANTAGES DE L'EXTRAVERSION

- La faculté de nouer spontanément des relations ➤ les extravertis engagent la conversation sans grand effort
- La facilité à évoluer dans de nombreuses situations ➤ les extravertis se sentent à l'aise avec toutes sortes de personnes et dans diverses circonstances
- Le fait de ne pas garder rancune, de digérer les affronts ➤ les extravertis désamorcent facilement les conflits ; ils ne se sentent pas personnellement visés

LES ALÉAS DE L'EXTRAVERSION

- La tendance à ne pas vraiment assurer de suivi ➤ les extravertis privilégient l'instant présent plutôt que de mener les choses à terme
- La propension à fournir une foule de renseignements ➤ les extravertis tendent à faire des discours à n'en plus finir ou à fournir des détails superflus
- Le partage d'informations personnelles ➤ les extravertis ne placent pas la barre très haut lorsqu'il s'agit de décider de ce qui relève de la vie privée

EN RÉSUMÉ

Introvertis	Extravertis
Pensent avant de parler	Parlent pour penser
Vont au fond des choses	Ratissent large
Puisent leur énergie dans la solitude	Puisent leur énergie dans la compagnie des autres
Sont réfléchis	Sont verbomoteurs
Sont déterminés	Sont expansifs
Sont autonomes	Sont sociables

Préférences en matière de réseautage

Aiment écouter	Aiment parler
Aiment le calme	Aiment les activités
Apprécient les tête-à-tête	Apprécient les rencontres de groupe

Stratégies de réseautage

Introvertis/Centrovertis	Extravertis
Prennent le temps de réfléchir (tâtent le terrain)	Bavardent (discutent)
Assimilent (se concentrent)	Se mettent en avant (font leur propre publicité)
Suivent leur propre rythme (se ménagent)	Font la fête (font «du social»)

Chapitre 4

Pourquoi nous détestons le réseautage

*Soyez gentil. Car tous les gens que vous connaissez
sont en train de mener un dur combat.*

– Philon d'Alexandrie

Questionnaire de la grogne

Pourquoi détestez-vous réellement réseauter?

a. C'est une activité inutile, une perte de temps.

b. Vous avez ça dans le sang.

c. Vous n'en êtes pas capable, un point, c'est tout.

b. Littéralement! Et aussi dans vos gênes. Continuez à lire pour en savoir plus...

Réponse

Des chats et des hommes… des cavernes

Invité à une réception qui vous permettra de faire du réseautage, vous arrivez sur les lieux avec une demi-heure de retard. Vous entrez dans la salle : tout n'est que bruit et agitation. Votre cœur commence à battre la chamade, votre pouls s'accélère, une vague d'adrénaline déferle dans vos veines… Vous commencez à transpirer. Littéralement.

Sans même y penser, vous jetez un coup d'œil à votre montre. Vous constatez que cela fait juste deux minutes que vous êtes arrivé. Pourquoi diable avez-vous accepté cette invitation ? Vous deviez avoir une (bonne) raison, mais elle vous semble de plus en plus déraisonnable. Vous *détestez* les mondanités. Pourquoi endurer tout ce chichi ? Dire que vous pourriez être loin d'ici, détendu, un bon livre entre les mains !

Vous vous souvenez vaguement d'un cours que vous avez suivi au collège et qui portait sur la gestion du stress au moyen de l'autohypnose (cours que vous avez suivi conformément à votre stratégie de temporisation au milieu du semestre). Vous avez alors appris qu'il faut respirer à pleins poumons quand on subit du stress. Quel conseil ennuyeux ! Si ce prof était devant vous, vous lui diriez ce que vous pensez vraiment de ses inspirations et, surtout, de ses expirations.

Holà ! ça suffit comme ça, l'ami !

Faisons un petit retour aux sources – à des sources qui précèdent de loin vos expériences collégiales. Remontons au temps des chats et des hommes des cavernes… (En passant, saviez-vous que le chat dès cavernes était le tigre du Quaternaire ?) Depuis cette époque, notre environnement a changé du tout au tout, mais notre physiologie n'a guère évolué. En ces temps lointains, quand une personne se sentait menacée, elle courait souvent, effectivement, un danger mortel. La réaction physique à une grave menace était – et est encore – le réflexe de lutte ou de fuite. Physiologiquement, la personne se préparait soit à détaler, soit à se battre comme si sa vie en dépendait… ce qui était fort probablement le cas.

Or, notre passé d'hommes des cavernes nous colle à la peau (et à bien d'autres parties du corps).

Mais retournons à notre réception. Vous trouvez la situation menaçante, et votre corps réagit au danger perçu comme si un chat des cavernes risquait de vous sauter dessus à tout moment. Quoique ce genre de prédateur se fasse rare aujourd'hui, c'est le moins qu'on puisse dire, notre réflexe de lutte ou de fuite n'a rien perdu de sa vigueur.

Quand ce réflexe s'enclenche, le sang afflue vers les extrémités du corps, de sorte qu'on est fin prêt à livrer un vaillant combat ou à entreprendre une longue course. D'où vient cet afflux de sang? Très bonne question. Du cerveau. Généreusement, le cerveau fait un «don» de sang aux bras et aux jambes. Malheureusement, dans de telles circonstances, on n'a pas les idées très claires. Conséquemment, si quelqu'un nous aborde, on risque de tenir des propos un peu confus. On n'est plus que l'ombre de soi-même, et on n'a plus sa vivacité d'esprit habituelle.

Ça m'embête beaucoup de vous dire ça, mais la vieille recette prescrivant quelques inspirations profondes marche vraiment. Quand, en raison du stress, le sang est envoyé aux extrémités, la respiration devient légère et ne suffit pas à remplir les poumons d'air. On retient parfois son souffle sans même s'en apercevoir.

Voici comment stimuler la circulation sanguine: à chaque inspiration, dirigez l'air vers le diaphragme (qui se situe en dessous de la cage thoracique). Une respiration profonde et régulière provoque... une réaction de détente. La panique s'estompe, le flux sanguin vers le cerveau s'accroît, et les pensées deviennent plus claires.

Avant de faire un exposé, je repère un coin tranquille. Parfois, je ne trouve rien de plus chic que les toilettes. Je respire profondément plusieurs fois pour m'assurer d'avoir les idées claires et d'être attentive. Ça marche, c'est rapide, c'est légal partout dans le monde et c'est gratuit. Que demander de plus?

Ce qui se passe derrière le rideau

Mon expérience dans le domaine du théâtre m'a appris beaucoup de choses à propos de la vie et de la communication, en particulier à propos de la forme de communication qui consiste à se parler à soi-même.

Songez à la dernière fois que vous avez regardé un film, une pièce ou une émission de télé en vous disant : «Quel jeu superbe!» Songez maintenant aux fois où vous avez jugé une interprétation peu convaincante, voire nulle. Vous qui n'avez pas suivi de formation dans les arts de l'interprétation, comment décidiez-vous si les acteurs jouaient bien ou mal? S'agissait-il simplement d'une impression?

Un des facteurs qui contribue le plus à une bonne interprétation est ce qui se passe dans la tête de l'acteur. Un mauvais comédien mémorise des répliques et les répète en temps opportun. Il en résulte une interprétation monotone et inauthentique, parce qu'elle ne reflète rien. Derrière les paroles du personnage, on ne devine aucune pensée. En fait, il n'y a même pas de personnage, seulement un acteur livrant ses répliques.

Épaulé par un bon metteur en scène, un vrai acteur étudiera le scénario et déterminera ce qui se passe dans la tête de son personnage à chaque instant – pas seulement quand celui-ci parle, mais aussi quand il se tait. On appelle cela «sous-texte» – par opposition au «texte», qui est le scénario. Il se peut que le public ne décode jamais le sous-texte; il aura toutefois l'impression que le personnage est complexe, profond. Le sous-texte et le texte peuvent énormément différer. À titre d'exemple, l'acteur peut dire : «Passe-moi le sel!» alors que, en réalité, il se dit : «Je suis follement amoureux de toi.» Il y a, derrière le dialogue, une dimension profonde qui dépasse le verbe et qui change tout.

La somme du sous-texte est le monologue intérieur – la boucle constante de pensées qui donne vie à un personnage.

Un phénomène comparable caractérise la vie de tous les jours. Nous entretenons tous un monologue intérieur, et chaque phrase que nous prononçons s'accompagne d'un sous-texte. Ce monologue se déclenche automatiquement. Il est presque impossible de s'en débarrasser, à moins qu'on soit passé maître dans l'art de la méditation. Quand on dort, le sous-texte s'exprime sous forme de rêves. (Dans un autre livre, nous pourrions nous pencher sur les avantages du déchiffrement des rêves.)

En apprenant à contrôler son discours intérieur (que j'utilise ici comme synonyme du terme savant *sous-texte*), on fait un grand pas en ce qui concerne sa façon de voir les autres et d'agir envers eux. En matière de réseautage, les pensées (domaine interne) qu'on entretient influent grandement sur les chances de réussite (domaine externe) qu'on a.

LA PENSÉE CATASTROPHISTE

Voilà un de mes troubles psychiques préférés, qui n'est pas sans rappeler la peur des chats des cavernes. Supposons qu'il se passe quelque chose. En fin observateur que vous êtes, vous pourriez vous dire : « Il s'est passé quelque chose. » Mais, peut-être parce que c'est plus excitant, vous vous engagez sur le sombre chemin de la pensée catastrophiste. Des revers temporaires deviennent des événements cataclysmiques, dévastateurs. Vous y survivez, certes, mais vous n'êtes plus qu'une loque.

Le recadrage

Il y a une corrélation directe entre le monologue intérieur qu'on tient et le fait qu'on aime, qu'on tolère ou qu'on déteste le réseautage. Sachez qu'il n'est jamais trop tard pour se rafraîchir les synapses. Tout ce qu'il faut, c'est de petites pinces et une bonne dose de volonté.

J'utiliserai parfois le terme *recadrage* dans ce livre. Comme nombre de mes concepts préférés, il est d'une élégante simplicité. Imaginez que vous avez placé un tableau dans un cadre noir tout à fait ordinaire. Un jour, vous décidez de choisir un nouveau cadre qui s'harmonisera mieux avec la toile, dont il accentuera parfaitement les couleurs. Résultat : c'est le tableau dans son ensemble qui est devenu plus beau, pas seulement le cadre.

Voilà l'idée fondamentale qui sous-tend le recadrage ; et cette idée touche à la perception. On aborde les expériences présentes en fonction de ses perceptions et de ses expériences passées. Si on prend le temps de doter la réalité objective d'un cadre nouveau, on peut changer radicalement son appréhension des gens et des événements.

En modifiant sa perception des choses, il est possible de modifier ses comportements et ses réactions. Le recadrage est un concept particulièrement utile aux personnes peu disposées au réseautage.

Pensez-vous être doué pour le réseautage ? Si ce n'est pas le cas, pourquoi ?

Pour beaucoup de gens, réseauter, c'est faire « du social » : aborder des inconnus, bavarder et divulguer volontairement de l'information personnelle.

Et si vous changiez de cadre? Si vous perceviez le réseautage comme une occasion d'établir des relations authentiques, une activité exigeant des atouts, tels qu'un bon sens de l'écoute, une bonne faculté de concentration et de la circonspection? Croyez-vous disposer de ces atouts? Cela change-t-il votre réaction viscérale à l'idée de faire du réseautage?

Notes de terrain

Bienvenue! Maintenant, laissez-moi tranquille...

Quand on préside un séminaire, il est de règle d'accueillir les nouveaux participants. Tous les animateurs savent comment procéder: il faut saluer les personnes qui entrent dans la salle, se présenter, faire une première impression favorable, établir une certaine complicité avec les participants et essayer de retenir le nom de chacun. Il s'agit là des techniques de base de l'animation de groupe.

Je fais l'inverse.

Je me cache à l'avant de la salle: tête penchée, je scrute mes documents, évitant d'accrocher le regard de qui que ce soit. Je sais, je sais, ce comportement est inadmissible, indigne d'un consultant et pour le moins impoli. N'est-ce pas?

Pas si vite! Je ne peux me permettre de dissiper mon énergie avant de dépasser la ligne de départ. Donc, je fais fi du protocole jusqu'à ce qu'on me présente à la salle. À ce moment, je franchis la ligne à vive allure, avec un sourire épanoui, pétillant d'esprit et de verve.

LE DISCOURS INTÉRIEUR

Avez-vous tendance à vous répéter que vous êtes ennuyeux, indigne et hésitant? Si c'est le cas, sachez que vous renforcez ainsi ces croyances. Quel message diffusez-vous en boucle en votre for intérieur, jour après jour?

Le discours intérieur (ou dialogue interne) est la façon dont on se parle à soi-même: tout le monde a des habitudes et des styles différents.

Après avoir consacré des années à l'examen des diverses facettes de ce discours, j'ai réussi à distinguer quelques thèmes courants. Certains donnent une représentation négative des événements, alors que d'autres mettent l'accent sur ce qui est positif. Voici un sommaire de ces styles.

Discours intérieur négatif	Discours intérieur positif
Émotif	Réfléchi
Exagéré	Réaliste
Contraignant	Expansif
Décourageant	Encourageant
Catastrophiste	Gérable
Victime	Personne qui apprend
Perspectives sombres	Bonne humeur

Dissipons le mythe qui veut qu'un discours intérieur négatif reflète plus fidèlement la réalité que son pendant positif. C'est le discours positif qui est le plus réaliste des deux.

Le dialogue négatif exagère les répercussions du moindre événement :

«C'était un désastre! J'ai raté mon coup et je ne m'en remettrai jamais. Je n'irai jamais plus à une réunion servant au réseautage.»

Le discours intérieur positif, lui, reflète la réalité telle qu'elle est :

«Bon. Je voulais changer de carrière, alors je suis allé à un congrès où je pouvais rencontrer d'autres personnes œuvrant dans mon domaine. C'est vrai que j'ai renversé de la trempette aux épinards sur ma chemise peu après mon arrivée. C'est vrai aussi que, alors que je me présentais à quelqu'un, je me suis attribué son nom; j'étais distrait, et il se trouve que j'étais en train de regarder son porte-nom (soit l'insigne signalant l'identité). Cela dit, malgré ma réticence, j'ai réussi à rencontrer des gens. Et puis, renverser de la nourriture, ça arrive à tout le monde. La prochaine fois que j'irai à une réunion, je mangerai avant de partir.»

Le discours intérieur négatif condamne. Dans le cas du dialogue positif, on assume tout simplement la responsabilité de ce qui peut nous arriver à diverses occasions. Le discours intérieur positif remplace le point de vue de la victime par celui de la personne qui apprend.

Comment cela a-t-il pu arriver? ➤ Que puis-je apprendre?

Interrompez quelques instants votre lecture. Essayez cette technique.

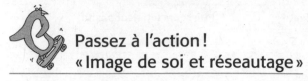

Passez à l'action!
«Image de soi et réseautage»

Songez à une occasion où vous avez tenu un discours intérieur négatif. Dans la colonne de gauche, notez l'événement ou la série d'événements sur lesquels portait votre discours. Dans la colonne centrale, dressez la liste des pensées négatives qui se sont présentées à votre esprit durant ou juste après l'événement.

Imaginez maintenant des réactions différentes, susceptibles de vous encourager. Inscrivez-les dans la colonne de droite. Pensez aux bienfaits qu'elles pourraient vous procurer.

Événement(s)	Mes perceptions et mon discours intérieur négatif	Discours intérieur révisé et encourageant

Voici à quoi pourrait ressembler un formulaire rempli après l'épisode malheureux du congrès et de la traînée de trempette aux épinards décrit plus haut.

Événement(s)	Mes perceptions et mon discours intérieur négatif	Discours intérieur révisé et encourageant
Je veux changer de carrière, alors je me suis inscrit à un congrès auquel assistent des personnes très influentes. Je suis allé au congrès directement à partir de mon bureau. J'ai fait une entrée tardive. J'ai renversé de la trempette d'épinards sur ma chemise. Puis je me suis présenté à une sommité en m'attribuant son nom par mégarde. J'ai pris une de ses cartes professionnelles pour mettre fin à la conversation, et je suis parti peu de temps après.	Évidemment, des travailleurs ont commencé à réparer la chaussée en pleine heure de pointe, alors je suis arrivé à ce foutu congrès – qui m'a coûté 40 $ en frais d'inscription – avec une demi-heure de retard. J'étais affamé. Comme un imbécile, je me suis mis à engloutir une trempette verte pour apaiser ma faim. Grosse surprise : j'en ai renversé partout sur ma chemise. J'étais gêné et distrait. Je me suis fait aborder par un gros bonnet, qui m'a tendu la main. J'ai regardé son insigne, et j'ai utilisé son propre nom lorsque je me suis présenté. Le type a été sidéré par ma stupidité ; ça paraissait dans ses yeux. Je lui ai demandé sa carte, et j'ai eu l'impression qu'il regrettait de devoir me la donner.	Je suis fier de moi, parce que j'ai entrepris une démarche concrète favorisant un changement de carrière. J'ai été coincé dans un bouchon, mais plein de gens sont arrivés après moi. J'ai renversé de la trempette sur ma chemise, mais j'ai réussi à en éponger la majeure partie avec une serviette. De toute façon, ma cravate cachait presque tout. C'était génial que le gars qui avait organisé la rencontre soit venu me saluer. On a tous deux rigolé quand je me suis attribué son nom durant les présentations. Je suis sûr qu'il se souviendra de moi. Demain, je lui enverrai un courriel de remerciements, et je profiterai de l'incident des présentations pour faire un peu d'esprit.

UNE MISE EN GARDE SUR L'ÉTIQUETTE

Il est difficile de renverser ses habitudes, dont celle de faire des monologues intérieurs négatifs. Elles nous collent pour ainsi dire à la peau. Il est même plus difficile de se débarrasser d'habitudes fâcheuses que de se débarrasser du résidu gommeux que laisse une étiquette collée sur du verre.

Voici quelques conseils à cet égard.

1. Le cerveau est incapable de *ne pas faire* quelque chose ; il sait seulement *faire* quelque chose. Si ça vous chante, vérifiez ça auprès d'un neuroscientifique – il doit bien y en avoir un qui traîne dans vos parages. Sinon, suivez simplement mes conseils. Il ne sert à rien de vous répéter : « Je ne devrais pas avoir ces pensées. » Eh ! vous ne pouvez pas *ne pas faire* quelque chose. Prenons un exemple que vous connaissez sans doute. On vous dit : « Ne vous représentez pas un éléphant rose. » Eh bien ! qu'est-ce que vous vous représentez ? Un éléphant, bien sûr ! Conclusion : quand vous remarquez que vous tenez un discours intérieur négatif, remplacez-le simplement par une version révisée, plus positive.

2. Plutôt que d'essayer d'éliminer d'un seul coup toutes vos pensées négatives, apprenez graduellement à les reconnaître. Vous aurez fait un grand pas en avant lorsque vous en aurez conscience.

3. Résistez à la tentation de faire des monologues intérieurs négatifs à propos de vos monologues intérieurs négatifs, si vous voyez ce que je veux dire. Faire de tels monologues est naturel. Heureusement, on peut changer la teneur de ces discours.

Il ne vous faudra pas beaucoup de temps pour apprendre à vous dire des choses plus encourageantes – et vous n'aurez pas à vous déplacer, puisque tout se passera dans votre tête. Une telle démarche vous permettra de voir les choses sous un meilleur jour ; vous pourrez alors adopter une attitude plus optimiste et être de meilleure humeur. Cette combinaison vous amènera à projeter une image plus positive, exprimant la confiance en soi.

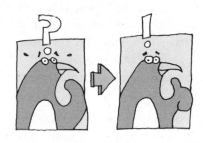

Chapitre 5

Les nouvelles règles : efficaces et toutes brillantes

On accède au bonheur suprême
quand on accepte d'être ce qu'on est.

— Érasme

Si vous vous sentez débordé ou un peu isolé, c'est peut-être parce que vous vous êtes dit, après avoir fait quelques tentatives de réseautage dans le passé, que vous préfériez subir un traitement de canal que de vous y remettre.

Les conseils habituels en matière de réseautage sont conçus pour les extravertis et, dans l'ensemble, ils ne répondent pas aux besoins des personnes introverties ou centroverties. Beaucoup en concluent que cela est dû à leurs carences. « Si c'est ainsi qu'on réussit à réseauter, mon cas est désespéré. » Je ne sais plus combien d'introvertis m'ont confié ceci d'un ton profondément convaincu : « Côté réseautage, je suis nul. » Comme si c'était là un fait indéniable et qu'on ne pouvait absolument rien y faire.

Les conseils habituels ne sont pas mauvais en soi ; cependant, ils ciblent un sous-groupe de la population. Supposons que je vive à Miami et que j'écrive un livre sur la façon de trouver des palmiers. « Sortez, promenez-vous un peu, et vous en verrez rapidement. » Voilà ce que j'écrirais, et ce serait un excellent conseil – pour les habitants de la Floride. Cependant, un de mes loyaux lecteurs vivant à Montréal pourrait arpenter la ville des journées entières sans voir de palmiers et conclure qu'il n'a aucun talent pour les distinguer. Il pourrait également se rendre à l'évidence et reconnaître que mon livre ne lui était pas destiné.

Mes règles nouvelles (tellement nouvelles qu'elles brillent encore) sont conçues pour les gens qui détestent réseauter. J'ai découvert que ce groupe comprend une bonne tranche d'introvertis et de centrovertis, et même des extravertis. De plus, mes règles brillantes ont l'avantage de servir aussi à ceux qui aiment déjà réseauter, car elles leur montrent comment améliorer leurs relations avec les gens dont le style interpersonnel diffère du leur.

Repenser les règles

Les conseils habituels ne sont guère utiles à ceux qui détestent réseauter. On n'arrive à rien en allant à l'encontre de sa nature et de son tempérament. On ne réussit qu'en s'appuyant sur ses points forts.

Pourquoi les conseils qui enchantent les extravertis indisposent-ils les introvertis ? Eh bien, parce que les expériences qui réjouissent l'extraverti amènent l'introverti à se sentir inauthentique et épuisé !

Allez demander à un extraverti de petits conseils sur le réseautage. Il sera probablement en train de bavarder avec des gens. Il vous recommandera vraisemblablement de multiplier vos relations, de rencontrer le plus possible de gens et de ne pas rater une seule occasion de réseauter.

Un introverti mal inspiré pourrait chercher à suivre de tels conseils, mais il se dégonflera plus vite qu'un soufflé sorti trop tôt du four.

Tenez compte de votre degré d'énergie. Si vous faites de chacun de vos repas une occasion de réseautage, vous vous épuiserez en quelques semaines. Il n'y a aucun mal à prendre régulièrement ses repas seul. D'une part, de tels moments peuvent constituer le point saillant de la journée. D'autre part, ils peuvent contribuer considérablement au succès qu'on obtient en matière de réseautage. Le temps que les gens se réservent leur sert souvent à assimiler des données et à refaire le plein d'énergie.

Un introverti vidé est un introverti inefficace.

Le fait est que je suis une mauvaise extravertie. Mais dire cela, c'est comme reconnaître que, étant gauchère, j'écris mal de la main droite. Bien sûr, je pourrais apprendre à le faire, mais pourquoi irais-je à l'encontre de mon style naturel? Pourquoi ne pas m'efforcer plutôt de devenir une excellente gauchère?

J'aime déjeuner seule. À tel point que, pendant ma première année à l'université, ma mère m'a téléphoné chaque semaine pour me demander si j'avais déjeuné avec quelqu'un. Comme ma réponse était négative la plupart du temps, elle a passé l'année à s'inquiéter à l'idée que je n'avais pas d'amis. Elle se trompait. Quand elle lira ce livre, 25 ans plus tard, elle pourra enfin pousser un soupir de soulagement.

Certaines choses ne changent pas. J'ai beau œuvrer aujourd'hui dans le domaine du conseil et du *coaching*, mes repas solitaires, passés à lire un magazine, demeurent pour moi des oasis de calme qui renouvellent mon énergie. Neuf fois sur dix, je mange seule. Mais quand il m'arrive de consacrer un repas à une réunion, je peux me donner entièrement. Et que se passe-t-il si je prévois des déjeuners de travail jour après jour? Ma production baisse, je suis claquée, et ces réunions sont inefficaces.

Accumuler ou approfondir

Pour réussir votre réseautage, il vous faut être fidèle à vous-même. Vous êtes la fondation sur laquelle construire. Chercher à vous transformer en une autre sorte de personne serait une aventure périlleuse, qui vous laisserait troublé, égaré et, pour tout dire, lessivé. Je ne peux pas approuver un comportement aussi téméraire.

Pourquoi ne pas vous réjouir de *qui* vous êtes? Cela ne vous semble-t-il pas plaisant, relaxant et valorisant? La réussite se fonde en premier lieu sur l'authenticité. Si vous ne savez plus où donner de la tête, cherchez d'abord à savourer la situation au lieu de vous arrêter à ce que vous *devriez* faire. *Devriez* n'est pas un mot très inspirant (on ne devrait jamais dire devrait). Vous n'avez pas beaucoup de relations? Révisez vos critères d'évaluation. Vous êtes introverti? Voilà qui est fantastique. Car vous êtes bien placé pour vous imposer comme un maître incontesté du réseautage. Évidemment, vous devrez sans doute accorder des interviews de temps en temps... Lassant, certes, mais inévitable.

Entre le réseautage des introvertis et celui des extravertis, la différence essentielle se résume à ceci:

Les extravertis accumulent; les introvertis approfondissent.

Si vous êtes un introverti, il se peut que vous ayez le souvenir désagréable d'une réunion d'entreprise où vous faisiez tapisserie, sur le plan du réseautage. Vous regardiez les extravertis évoluer dans la salle et enrichir leur collection – de gens, de cartes professionnelles et de cure-dents piqués dans les amuse-gueules. Ce spectacle vous a peut-être convaincu de votre infériorité, et cette pensée vous a traversé l'esprit: «Je ne veux pas parler à ces gens-là, et eux non plus ne veulent pas me parler. Autant filer.»

Les vieilles règles ne sont pas mauvaises en soi; seulement, elles ont leurs limites. Elles fonctionnent pour les quelque 30 % de la population qui se définit comme fortement extravertie. Mais elles ne comportent aucun avantage direct pour les centrovertis (20 % d'extravertis modérés/faibles + 20 % d'introvertis modérés/faibles) ou pour les introvertis. Nos nouvelles règles brillantes, elles, sont conçues pour avantager les introvertis, les centrovertis et même bon nombre d'extravertis patentés.

Prenons en main cette situation. Joignez-vous à moi pour ébranler les trois prémisses de réseautage de la vieille école. En avant la musique!

Vieille règle poussiéreuse n° 1 : foncer (bavarder)

Inutile de tourner autour du pot. Reconnaissons les faits : les extravertis ont de la faconde. Vous, les introvertis, cessez d'en faire un drame ! Concédez aimablement ce point.

Les extravertis parlent pour penser. Cette habitude suscite parfois l'irritation des introvertis et, d'autres fois, leur envie. De fait, grâce à leur flot ininterrompu de propos amicaux, les extravertis sont en mesure de soutenir une conversation, d'animer une discussion et de prolonger une activité. Ils le savent, et les introvertis le savent aussi ; autant l'accepter tous tant que nous sommes.

S'imposer dans des situations ou dans des discussions, c'est une façon d'établir des relations. Les extravertis sont très à l'aise lorsque vient le temps de s'entretenir avec des gens qui leur sont pratiquement étrangers – et qu'ils appellent de nouveaux amis. Ils passent le plus de temps possible à interagir avec d'autres personnes. Aussi, la vieille règle n° 1 convient-elle parfaitement à un verbomoteur, qui peut foncer sur cette base.

Qu'en est-il de tous les autres ?

Nouvelle règle brillante n° 1 : prendre le temps de réfléchir (tâter le terrain)

Quand je demande aux extravertis quels sont les points forts des introvertis, ils évoquent invariablement la qualité de leur écoute, ainsi que leur grande compétence en matière de planification. Les extravertis semblent reconnaître que les introvertis ont une nette supériorité sur ces plans, et admettent volontiers qu'ils auraient eux-mêmes besoin de progresser dans ces domaines. Bien sûr, il ne s'agit pas d'une compétition (comme le dit mon fils cadet, « ce n'est pas une course, mais je la gagne ».)

En tant qu'introvertie, je pense avant de parler. Être consciente de cela me permet de transformer en compétence ce qui pourrait être une carence. Avant d'assister à une réunion à titre de consultante ou de *coach*, je consacre beaucoup de temps à la révision de mes stratégies et à la préparation de mes réactions. En me conformant à ma première nouvelle règle de réseautage – prendre le temps de réfléchir –, je suis en mesure de communiquer mes idées avec clarté et précision.

Comme le faisait remarquer un de mes anciens clients, « c'est surtout en observant, non en parlant, que nous apprenons ». Si vous n'êtes pas doué pour le bavardage, concentrez-vous sur le don que vous avez – cette prédisposition à observer et à rassembler des données.

Notes de terrain

Le silence est d'or

J'animais un jour un programme pour ingénieurs de haut niveau intitulé « Communication et style de personnalité ». La haute direction avait décrété que cette activité n'était pas facultative.

Jusqu'à 95 % des participants se définissaient comme introvertis ou centrovertis. On répondait à mes questions par le silence. Nous avons donc vite expédié l'ordre du jour.

Heureusement, je savais qu'il ne fallait pas considérer ce comportement comme négatif, apathique ou décourageant. Je m'accommode volontiers du silence dont ont besoin les introvertis pour assimiler. Par des indices tacites, les participants montraient qu'ils s'intéressaient vivement aux questions abordées durant le cours.

J'ai su qu'il en était bien ainsi dès la première pause-café. Les étudiants m'ont bombardée de questions – en tête-à-tête. À l'heure du déjeuner, j'ai à peine pu me libérer pour prendre une bouchée. Les membres introvertis et centrovertis du groupe étaient résolus à discuter des concepts que j'avais présentés et à creuser les sujets que nous avions étudiés.

Presque toutes les questions des participants m'ont été posées entre les cours.

Vieille règle poussiéreuse n° 2 : faire sa propre publicité (se mettre en avant)

Les grands extravertis se mettent plus naturellement en avant que les introvertis. C'est là une stratégie de réseautage valable. Elle est particulièrement indiquée dans le cas des personnes qui, de nature, ont la langue bien pendue.

Voici quelques conseils que j'ai réellement entendus à ce propos :

- ☺ Assurez votre visibilité en tout temps.
- ☺ Vantez vos réalisations à tout propos.
- ☺ Cherchez toujours à approcher les autres.
- ☺ Maintenez un rapport constant avec vos relations.
- ☺ Tenez les autres au courant de vos succès.

L'extraverti est porté d'emblée à étendre ses réseaux. Faire sa propre publicité est un corollaire naturel de cette prédisposition. Dans bien des cas, l'extraverti passe de l'autopublicité à la promotion d'organismes économiques ou communautaires prometteurs.

Une de mes clientes de toujours, une extravertie des plus sympathiques, est directrice générale d'un organisme sans but lucratif. Quand je lui ai révélé le titre de mon prochain livre – ce livre –, elle a éclaté de rire. «Comment pourrait-on détester le réseautage? C'est l'aspect de mon boulot que je préfère. J'adore ça! Le réseautage, c'est la récompense de tout le reste du travail que je fais.» Elle a reconnu, cependant, qu'elle avait besoin de lire mon livre pour mieux comprendre l'équipe d'introvertis et de centrovertis dont elle s'était entourée.

 ## Nouvelle règle brillante n° 2 : assimiler (se concentrer)

Les introvertis et les centrovertis se sentent souvent mal à l'aise quand il s'agit de parler d'eux-mêmes. Ils sont d'avis que bien des questions sont des affaires personnelles. Il leur semblerait impensable d'entamer une relation en évoquant toutes leurs qualités. Pourtant, quand ils carburent à plein régime, les introvertis peuvent apprendre énormément de choses au sujet des personnes qu'ils viennent de rencontrer. L'assimilation de l'information leur permet d'établir des relations profondes et durables, tout en passant moins de temps à se faire valoir.

Les eaux calmes sont profondes

J'ai fait la connaissance de Luc à l'occasion d'un séminaire sur le leadership que j'animais pour 70 avocats de haut niveau. Le séminaire avait lieu dans un centre de villégiature luxueux situé au bord d'un lac. Durant le dîner d'ouverture, qui était servi à de grandes tables de banquet, Luc s'est montré tranquille et réservé.

Le matin du deuxième jour, la réunion devait se dérouler à l'extérieur. Comme elle exigeait un travail de préparation important, je suis arrivée tôt sur les lieux. Luc était le premier participant à se présenter – une bonne demi-heure avant le début du programme. Il a offert de m'aider et s'y est mis avec entrain.

Je lui ai demandé ce qu'il avait fait la veille après le dîner. Un peu embarrassé, il m'a dit qu'il s'était assis près du lac et qu'il avait regardé l'eau. Comme s'il s'excusait, il m'a confié ceci : « Parfois, j'aime m'asseoir et regarder tout simplement le paysage. »

Il a précisé que les échanges de banalités l'épuisaient et qu'il préférait passer seul les pauses entre les séances. S'il s'était présenté tôt ce matin-là, m'a-t-il dit, c'est qu'il avait déjeuné avant l'arrivée des autres. Il voulait se ménager un moment seul avec son journal, sans être dérangé par des collègues bien intentionnés qui viendraient se joindre à lui.

Devenu plutôt loquace, Luc m'a expliqué que les gens devaient sans doute le trouver quelconque à première vue. Pourtant, il était clair, d'après notre conversation, qu'il était profond, perspicace et doté d'un bon sens de l'humour. J'ai appris par la suite que ces qualités avaient contribué à son succès professionnel. Luc était à la tête d'une équipe de cinq avocats et occupait une position de leadership enviée.

À la fin du programme, Luc m'a fourni une rétroaction détaillée du séminaire, qui comprenait ses réflexions et ses recommandations.

Luc présente les caractéristiques d'un grand introverti. Il excelle dans les tête-à-tête. Il s'ouvre volontiers – quand il est certain que la situation s'y prête. On est d'autant plus satisfait de découvrir sa richesse intime qu'elle échappe au premier regard. Luc pense avant de parler et écrit avec une clarté exceptionnelle. Comme dans le cas d'un grand nombre d'introvertis, il faut apprendre à le connaître pour percer sa carapace. Quand nous permettons aux introvertis de se dévoiler à leur propre rythme, nous en sommes récompensés.

LA QUESTION DES QUESTIONS

Si vous êtes introverti, exploitez à fond vos talents fabuleux. Les introvertis préfèrent, en général, poser des questions plutôt que de révéler des renseignements personnels. Mettez en jeu votre grande capacité de concentration, associez à votre écoute approfondie des questions bien formulées, et vous n'aurez plus jamais la moindre peine à lier conversation. De plus, votre sens de l'observation aigu, qui fait que vous remarquez des choses subtiles, de nature verbale ou non verbale (regard, qualité de l'attention), vous permet, au cours de vos échanges, d'amasser énormément de données tout en poursuivant votre réseautage.

Posez moins de questions fermées (on entend par là les questions auxquelles on ne peut répondre que par un oui ou par un non) et plus de questions ouvertes (c'est-à-dire celles qui appellent une réponse élaborée, permettant ainsi d'obtenir une foule de renseignements). Envisagez donc de remplacer des questions comme «aimez-vous travailler?» par d'autres comme «qu'est-ce qui vous plaît le plus de votre travail?». Sachez qu'une question commençant par *pourquoi* tend à mettre sur la défensive la personne qu'on interroge. Autant que possible, remplacez ce *pourquoi* par *comment* ou *quoi*. Ainsi, au lieu de demander: «Pourquoi avez-vous quitté votre emploi?», dites: «Qu'est-ce qui vous a amené à réorienter votre carrière?»

Les questions bien conçues amènent l'autre à s'ouvrir. Rappelez-vous une certaine rencontre qui vous a laissé une impression favorable. En toute probabilité, votre interlocuteur vous a manifesté de l'intérêt. Une écoute attentive de l'autre montre l'intérêt qu'on lui porte – ce qui est une façon imbattable de faire soi-même bonne impression.

Il m'est arrivé d'entendre décrire ainsi une collègue: «Elle est réservée, mais je trouve qu'elle est profonde.» Ce «mais» m'a frappée. Comme si la réserve et la profondeur étaient incompatibles! J'ai plutôt constaté que des personnes qui sont à première vue réservées en viennent à manifester une expérience, des talents et une personnalité du plus grand intérêt.

Vieille règle poussiéreuse n° 3 : passer autant de temps que possible avec les autres (faire la fête)

Ce conseil équivaut au premier critère d'admissibilité à Planète Extra : être sociable. Les extravertis se requinquent en passant régulièrement beaucoup de temps avec beaucoup de gens.

Alors que je m'entretenais un jour avec une extravertie, j'ai été étonnée de l'entendre dire combien elle aimait faire des excursions d'une journée avec des gens qu'elle ne connaissait pas. Comme je voulais en savoir plus sur ce point, elle a ajouté : « Eh oui ! je monte tout simplement dans un car de tourisme, et je passe le reste du jour à bavarder avec la personne qui se trouve assise à mes côtés. C'est génial. »

Le fait de se joindre à des groupes, à des associations et à des équipes est un moyen, pour l'extraverti, de raviver son entrain. Comme il reçoit de la présence des autres une infusion d'énergie, il lui serait impensable et improductif de s'enfermer seul dans une chambre d'hôtel à l'occasion d'un voyage d'affaires.

Les extravertis s'épanouissent quand ils sont entourés de gens et d'activités.

Remplissez votre journée, votre vie, votre temps de gens et d'événements. Sur ce thème très populaire à Planète Extra, on peut jouer bien des variations. Joignez-vous à un club. À vous le succès ultime et le vrai bonheur, grâce à une interaction sociale débordante ! Plus on est de fous, plus on rit. En avant la fête !

Nouvelle règle brillante n° 3 : suivre son propre rythme (se ménager)

Les introvertis et les centrovertis se montrent habiles quand ils participent à des conversations intelligentes, à des activités structurées et à des travaux bien ciblés. Mener ces activités à leur propre rythme leur permet de se ménager du temps pour recharger leurs batteries. Et vlan ! ils deviennent alors de vraies dynamos du réseautage.

ACCORDEZ-VOUS UN TEMPS D'ARRÊT

Pour le bambin hyperactif de trois ans, un arrêt de jeu est une punition redoutée. Mais pour qui se sent débordé, épuisé à force de réseauter, il n'y a pas de plus grande récompense. Accordez-vous donc un répit. Souvenez-vous que les introvertis puisent leur énergie dans la solitude.

Pour fonctionner, nous, les introvertis, avons besoin de « temps à soi ». Nous avons soif de solitude. C'est aussi fondamental que ça. Nous nous complaisons dans cette pensée du philosophe Martin Buber :

La solitude est un lieu de purification.

Pour que votre réseautage soit efficace, vous devez connaître vos besoins et vos points forts. Et, pour préserver votre autonomie enviable, vous devez pouvoir vous échapper régulièrement pour faire le plein.

Quel soulagement ! Enfin des conseils qui ne vous incitent pas à faire demi-tour et à filer vers les collines ! Et qui donnent aux introvertis et aux centrovertis de meilleurs résultats que les conseils habituels, conçus pour les extravertis.

MOINS, C'EST PLUS

Les introvertis performants remplacent la quantité par la qualité. L'introverti qui remplit sa vie d'un tas d'activités et de gens n'arrive qu'à éteindre sa flamme d'un seul coup.

Moins de gens + moins de temps = meilleurs résultats

Cette équation ne demande aux introvertis que de rencontrer une seule personne par activité de réseautage – et non pas dix. Mais elle requiert également un suivi.

**Pour les introvertis, la quantité est un critère
de réussite épuisant et inauthentique.**

Un introverti pourrait appuyer sur l'accélérateur jusqu'au plancher et tenir le coup. Il pourrait suivre scrupuleusement les conseils habituels et consacrer tous ses loisirs au réseautage. Par contre, comment seront ses résultats ? Décevants. Et comment sera-t-il lui-même ? À bout de souffle.

Sous les feux de la rampe – sous le microscope

À l'occasion d'une conférence de trois jours, on m'a demandé de faire la plupart des présentations. Les séances, intensément interactives, exigeaient de ma part énormément de concentration et d'énergie. La conférence a obtenu un grand succès, à en juger par la rétroaction uniformément favorable des participants. Pourtant, je n'avais pas réussi à bien moduler le rythme de mes activités entre les séances. Bien au contraire, je me précipitais d'activité en obligation, en un constant aller-retour.

Quelques semaines plus tard, j'ai reçu un appel téléphonique de mon client qui m'a grandement étonnée. Une participante lui avait dit avoir eu le sentiment que je me croyais au-dessus du commun des mortels. Elle soutenait qu'elle avait cherché à me parler – ce dont je ne me souvenais pas –, mais que je l'avais «envoyée paître». Mon client me connaissait assez pour comprendre qu'il y avait un malentendu. Néanmoins, j'ai vraiment apprécié qu'il me communique ce renseignement.

Cet incident avait eu lieu, m'a-t-il dit, le dernier jour, à la fin du dernier volet. Je me souviens que je ne voulais qu'une chose à ce moment-là : filer au plus vite vers ma chambre d'hôtel. Je peux imaginer que j'ai paru quasi absente. En intention, j'étais déjà partie.

Voici ce que j'ai retenu de cet incident et le conseil que je donne aux intro-vertis chargés des présentations : protégez votre «temps à soi» ; cependant, quand vous êtes encore sous les feux de la rampe, maintenez votre pré-sence d'esprit autant que votre présence. Car, lorsqu'on blesse quelqu'un, même sans le vouloir, on est parfois incapable de corriger la situation par la suite. Se ménager, ce n'est pas un luxe – c'est une des composantes néces-saires d'une stratégie réussie.

Les introvertis se donnent à fond. Aussi, s'ils poursuivent plusieurs objectifs à la fois, ils se sentent débordés. Il en est de même s'ils cultivent plusieurs relations à la fois. Les extravertis, eux, peuvent se doter sans problème d'un large éventail d'associés et entretenir avec la plupart des rapports superficiels. Les introvertis, qui préfèrent maintenir des relations moins nombreuses, mais plus significatives, ne sauraient accepter une telle situation.

Un réseau solide, compact de relations sûres, voilà, pour l'introverti, le meilleur scénario possible.

Une extravertie me disait pour se décrire: «Je suis grégaire.» C'est tout le contraire de ce que je dirais pour me décrire – et pourtant, nous nous entendons très bien. Entre personnalités de nature opposée, mieux se comprendre, c'est mieux s'apprécier.

Dans les prochains chapitres, nous appliquerons les trois nouvelles règles présentées précédemment (prendre le temps de réfléchir, assimiler, suivre son propre rythme) à des situations diverses qui se présentent quand nous faisons du réseautage. Il sera notamment question des occasions de réseautage, de la recherche d'emploi, des voyages d'affaires et de la gestion de ses activités de réseautage.

Chapitre 6

Un nécessaire de survie pour une activité de réseautage

La fortune favorise les audacieux.

— Virgile

Questionnaire «Hé, toi, réveille-toi!»

1. *Le réseautage pour les gens qui détestent réseauter* : est-ce là un oxymoron?
2. Les extravertis ont-ils le monopole du réseautage?
3. Les extravertis et les introvertis peuvent-ils coexister pacifiquement à côté d'une fontaine de fondue au chocolat? _____

Les activités de réseautage, ce sont ces moments particuliers de la vie où des gens se rassemblent – le plus souvent, en grand nombre – pour bavarder, pour échanger leurs coordonnées et pour bouffer des quantités industrielles d'aliments frits aussi malsains que difficiles à déterminer.

Dans une telle situation, comment voulez-vous que la personne qui déteste réseauter puisse survivre – et je ne dis pas s'épanouir ?

Il m'a *toujours* fallu me forcer à assister à ce genre d'activité. En général, je reviens satisfaite des résultats ; pourtant, j'y vais à contrecœur.

C'est comme mes exercices du matin. Depuis 20 ans, tôt chaque matin, je me rends au gymnase. Je recours à des ruses pour m'encourager. Je me dis, par exemple : « Aujourd'hui, je n'irai au gymnase que pour prendre une douche. » Une fois rendue sur les lieux, je me ressaisis. Le lendemain matin, le même cycle se produit. Au moment de clouer le bec à mon réveille-matin, je me maudis moi-même, je me jure que je ne ferai plus jamais de gym – après le matin en question. Et après l'avoir faite ? Je pète le feu.

N'attendez pas d'être hyper motivé pour aller réseauter. Si vous attendez d'être dans un tel état d'esprit, vous attendrez indéfiniment. Il faut vous flanquer vous-même à la porte. Une fois sur les lieux, grâce à votre stratégie secrète – qui réunit nos nouvelles règles –, vous vous en tirerez fort bien.

Pas de lâcheurs.

Se traîner de force

Ce soir, votre entreprise donne une grande réception. Votre présence n'est pas exigée, mais elle est attendue. Les vêtements de rechange que vous avez apportés de chez vous sont suspendus à un crochet sur la porte de votre bureau. La housse qui les contient se balance chaque fois que quelqu'un entre ou sort, et vous rappelle cette soirée qui va clore une semaine épuisante.

À six heures, votre cerveau bourdonne sous l'effet du bombardement sensoriel des événements de la journée. Des discussions, une planification stratégique, un déjeuner bruyant, diverses réunions, des propos échangés spontanément dans un couloir et une conférence téléphonique vous ont laissé lessivé.

Vous voulez vous détendre. Votre esprit passe en revue toute une gamme d'excuses dans l'espoir de trouver une raison valable de vous esquiver. Mais il est hors de question que vous manquiez cette fête de bureau : alors vous enfilez votre costume de soirée et vous vous rendez à la réception en traînant la patte.

En entrant dans la salle de réception, vous voyez circuler une foule d'inconnus arborant un porte-nom. Les conversations sont bruyantes, les gens semblent de bonne humeur – ce qui n'est pas votre cas, bien au contraire. Ils boivent, rient, scrutent les plateaux d'amuse-gueules… alors que vous vous demandez combien de temps il vous faudra rester pour satisfaire à votre obligation d'invité.

Vous commencez par chercher des compagnons de bureau, en vain. Puis vous vous trouvez un coin tranquille pour vérifier si vous avez des messages vocaux, bien que vous l'ayez fait cinq minutes plus tôt. Ainsi commence une nouvelle soirée de réseautage ennuyeuse – ou une nouvelle soirée de réseautage ratée.

Ça vous dirait qu'on reprenne ce récit ? Prise deux.

Prendre le temps de réfléchir

Inscrivez-vous d'avance. Cet engagement précoce comporte quatre avantages :

1. Il donne le temps de se préparer mentalement.

2. Il permet d'obtenir un porte-nom imprimé d'avance.

3. Il réduit les risques de se défiler au dernier moment.

4. Il permet de réserver une place aux occasions importantes.

Pour ma part, je crois que je ne me présenterais à aucune activité de réseautage à moins de m'être préenregistrée. Après une journée typique de présentations, d'animation de conférences et de *coaching* de gestionnaires, mon dernier souhait serait d'aller à une soirée de réseautage. Mais une fois que je me suis engagée, je ne me défile pas.

Planifiez votre tenue. Il ne suffit pas de se vêtir avec recherche. Certes, l'apparence compte. Cependant, à une telle occasion, il faut tenir compte des retombées de la mode ET des avantages du confort.

L'écharpe que vous comptez nouer à votre taille va-t-elle voleter dans tous les sens et vous déranger? Avez-vous mal aux pieds quand vous portez des chaussures haut de gamme pendant plus de 15 minutes? Vos lentilles cornéennes ont-elles tendance à se dessécher à la fin d'une longue journée, et serait-il donc plus sage que vous portiez vos lunettes? Cette cravate dernier cri ne sera-t-elle pas mal assortie à votre complet?

Il est plus important de paraître bien mis que de porter des vêtements coûteux qui ne nous conviennent pas vraiment. Réfléchissez à l'image que vous voulez projeter. Je suis étonnée de voir, à l'occasion d'activités d'entreprise, des tenues trop décontractées. Montez d'un cran votre standard vestimentaire. Une coordination soignée des éléments de votre mise est particulièrement importante si vous avez l'air jeune et si vous souhaitez projeter une image assurée et professionnelle. En outre, en réfléchissant à l'avance à ces aspects extérieurs, vous réduirez le stress que vous occasionne l'activité en question.

Ménagez-vous un déjeuner tranquille. Prenez un déjeuner agréable et détendu. Lisez en mangeant ou écoutez votre musique préférée. Trouvez un endroit où vous pourrez être en paix.

Cessez tôt le travail. Prévoyez, entre le travail et la soirée en question, un « coussin » d'une demi-heure de temps pour vous. Même 15 minutes sont mieux que rien.

Offrez vos services quand c'est possible. Arrangez-vous d'avance pour donner un coup de main. Beaucoup de gens qui détestent le réseautage se sentent plus à l'aise quand un rôle bien défini leur est assigné. En travaillant au succès de l'événement, ils ont des raisons de communiquer avec les autres, plutôt que de chercher vaguement à engager des conversations banales.

Allez-y avec un ami. Vous pouvez transformer votre expérience de réseautage en y allant avec quelqu'un. Je suis allée à une soirée avec une collègue qui, comme moi, était peu encline au réseautage : ç'a été un succès fou. Toute la soirée, nous nous sommes mises au défi de viser certaines cibles ; chacune à son tour, nous nous risquions à aller de l'avant, avant de revenir rendre compte de nos expériences. Nous avons toutes les deux noué de solides relations à cette occasion. Notre attitude positive et notre humour ont attiré d'autres personnes.

Précisez vos objectifs. Pourquoi participez-vous à l'événement? Assignez-vous des objectifs dont les résultats sont nets et mesurables : par exemple, faire la connaissance d'une ou deux personnes. Soyez réalistes.

Arrivez tôt. Pourquoi arriver parmi les premiers à une activité si vous n'avez pas envie d'y participer ? Eh bien, parce qu'il vaut mieux entrer dans une salle encore peu fréquentée que dans une salle où une foule de gens se pressent. De plus, en arrivant tôt, on a davantage l'occasion d'offrir son aide.

Prenez un moment. Lorsque je me lance immédiatement dans le bain de foule, je suis toujours amenée à le regretter. Prendre un moment pour me concentrer et pour rafraîchir ma tenue me donne à tous coups de meilleurs résultats. Allez à un endroit où il y a un miroir – idéalement, un salon de toilette bien aménagé – ou, au pire, consultez le petit miroir que vous gardez à cette fin dans votre porte-documents ou dans votre sac. Examinez-vous. Tous les autres vous toiseront ; autant le faire vous-même en premier. Assurez-vous d'être au mieux de votre forme ; au moins, ne soyez pas échevelé. Enfin, avant de vous lancer dans l'aventure, prenez quelques respirations profondes.

Il m'est déjà arrivé de porter deux boucles d'oreilles entièrement dépareillées. Ce n'est qu'à la réception que je m'en suis aperçue, à ma grande consternation. Ce matin-là, semble-t-il, au moment où je considérais laquelle convenait mieux à ma mise, j'avais eu un trou de mémoire intempestif. D'autres personnes m'ont fait de telles confidences alarmantes au sujet de souliers dépareillés, de tignasse dépeignée, etc. Je ne vais pas citer de noms, au moins pour le moment.

Rafraîchissez votre haleine – ça ne peut pas faire de tort. Si vous décidez de vous brosser les dents, mieux vaut le faire avant d'arriver. Vous faire surprendre penché sur un lavabo, mousse à la bouche, n'est pas la façon rêvée de rencontrer un client potentiel, un collègue ou votre patron.

 Assimiler

Observez la table sur laquelle se trouvent les porte-noms. Durant les activités de réseautage, j'aime bien passer les minutes suivant mon arrivée à lire les insignes des autres participants. En arrivant tôt, je m'assure que la plupart des insignes n'ont pas été cueillis. Cela me permet de vérifier s'il y aura des personnes que je connais ou que je souhaite rencontrer. Cela me procure aussi quelques moments de « temps à soi » avant qu'il y ait foule.

Tenez-vous près des crudités. Rester proche des amuse-gueules est une sage précaution, surtout si on a omis de dîner. Attention ! n'arrivez pas affamé, car vous pourriez succomber à la tentation de dévorer tout ce qui est à portée de votre main. Les tables où se trouvent les bouchées peuvent offrir un refuge temporaire et servir à vos fins. À mesure que les invités arrivent, vous pouvez leur lancer toutes sortes de formules toutes faites, telles que :

- Jolie sélection ! (À dire seulement s'il y a plus de deux variétés de plats.)

- Connaissez-vous ce fromage ? (Mieux vaut ne pas indiquer un banal cheddar.)

- Où réussit-on à trouver des fraises aussi délicieuses en ce temps de l'année ? (À supposer qu'il y ait des fraises et qu'on ne soit pas en juin.)

La bouffe est l'accessoire visuel idéal pour le réseautage. Mais contentez-vous de prendre de toutes petites bouchées. Ainsi, vous serez en mesure de répondre aux questions des autres sans les faire attendre cinq minutes (le temps qu'il vous faut pour mâcher et avaler, pour ne pas devoir parler la bouche pleine). Et attention ! ne vous étouffez pas. Vous auriez l'air vraiment trop gauche.

Notes de terrain

Trois cartes

À la suite d'une activité de réseautage, une de mes clientes (une introvertie) m'a rapportée, tout émue, qu'elle avait recueilli trois cartes professionnelles. Pour un extraverti, ce serait là un résultat pitoyable. Mais ma cliente se souvenait bien de ses conversations, et elle a donc pu envoyer aux personnes en question une documentation professionnelle pertinente, accompagnée de propos personnalisés, du genre : «J'ai beaucoup aimé notre entretien concernant vos récents succès professionnels, si impressionnants…»
Lorsqu'elle leur a proposé de les rencontrer pour un café, deux d'entre elles ont accepté. Un an plus tard, ma cliente demeurait en relation avec celles-ci et faisait affaire avec l'une d'elles.

Examinez la salle. Positionnez-vous quelque part entre le centre et les limites du groupe afin de voir le plus de participants possible. Nul besoin d'une formule mathématique pour y parvenir. Balayez lentement la salle du regard. Repérez les gens que vous connaissez et les personnes qui, pour une raison ou pour une autre, vous paraissent abordables.

Parlez au personnel. Je ne songe pas seulement aux responsables de la réception. J'inclus aussi les barmans, les préposés au vestiaire et tous les employés du lieu, en particulier ceux qui circulent avec de grands plateaux bien lourds chargés d'amuse-bouches. Il est courtois de saluer et de remercier les personnes qui nous entourent, et cela peut servir à nous occuper. Et donnez de bons pourboires. Dans le cas des bars ouverts, le service n'est pas nécessairement compris dans la rémunération.

Joignez-vous à une file d'attente. Mieux vaut faire la file que rester seul. Vous pouvez engager la conversation avec vos voisins de file, par exemple en leur posant des questions sur leur travail, sur l'origine de leur nom (s'il est intéressant) ou sur ce qui les a amenés à la soirée. Quand ce sera votre tour d'être servi ou de vous servir, vous aurez une raison toute naturelle de mettre fin à la conversation. Échangez alors vos coordonnées avec vos nouvelles relations et prenez congé.

Regardez les gens dans les yeux. La plupart des gens ne comprennent pas à quel point cela est important. En regardant quelqu'un dans les yeux, vous manifestez l'intérêt que vous lui portez et vous l'amenez à vous percevoir favorablement. Le contact visuel vous contraint également à rester concentré sur l'autre au lieu de laisser vos pensées vagabonder, ce qui risquerait de mener à un monologue intérieur négatif.

Soyez accessible. Efforcez-vous d'avoir une expression agréable en tout temps. Les tables où l'on mange debout attirent les personnes seules qui aiment converser. Trouvez-en une qui est libre et déposez-y votre assiette ou votre verre. Ou bien joignez-vous à une autre personne seule en lui demandant si elle s'accommoderait de votre compagnie.

Remarquez l'insolite. Des accessoires singuliers ou des styles vestimentaires uniques constituent une invitation à la conversation. Les gens tendent à acheter et à porter des éléments particuliers afin de prendre position. Vous ne pouvez pas vous tromper quand vous faites des compliments ou quand vous posez des questions à ce sujet. J'utilise ce truc partout où je vais, même quand il n'est pas question de réseautage – en réunion, dans les ascenseurs et dans la rue. Ça ne se retourne jamais contre moi.

« **Suivre son propre rythme**

Songez aux autres. Beaucoup considèrent le dialogue avec des inconnus comme l'un des aspects les moins attrayants du réseautage. Voici la raison la plus fréquemment invoquée à ce sujet : « Je n'ai pas la moindre idée de quoi parler ! » Mais notez bien ceci : vous n'êtes pas obligé d'alimenter la conversation ! Les gens aiment qu'on leur pose des questions judicieuses. Et ils aiment qu'on leur accorde de l'attention. Donc, en leur manifestant de l'intérêt, vous les amenez à vous apprécier. Succès assuré ! Voici quelques façons d'amorcer la conversation :

- Quelle sorte de travail faites-vous ? Qu'est-ce qui vous plaît le plus dans votre société ?

- Comment s'est passée votre journée ?

- Faites-vous des projets pour… (ce week-end, les vacances, l'été) ?

- Voulez-vous jeter un coup d'œil avec moi sur les amuse-gueules ?

Songez à vous-même. Acceptez de donner quelques renseignements à votre sujet. Les introvertis aguerris à la vie sociale sont capables de tenir habilement les conversations à l'écart de leur moi, qu'ils protègent soigneusement ; mais les autres peuvent noter ce manège et mal l'interpréter. Certains remarquent les conversations à sens unique et s'en formalisent, craignant qu'elles mènent à des relations déséquilibrées. D'autres peuvent en conclure que vous êtes distant, quelconque, réservé ou fuyant. Décidez donc à l'avance ce que vous êtes disposé à partager avec les autres à votre sujet.

Ne songez pas trop à vous-même. Rappelez-vous que vous êtes le seul à savoir depuis combien de temps vous faites tapisserie, combien de fois vous vous êtes rendu à la table des amuse-gueules ou combien de relations vous avez réussi à établir durant la soirée. Les gens présents dans la salle ne se concentrent pas sur vous. Personne n'observe vos faits et gestes – à moins que vous fassiez quelque chose de suprêmement embarrassant. Mais c'est là une pensée négative à laquelle nous n'allons pas nous attarder.

Prévoyez des pauses pour recharger vos batteries. Les activités sociales épuisent les réserves de l'introverti. Quand nos sens sont saturés, notre énergie disparaît plus vite qu'une place de stationnement au centre-ville. Sortez pour respirer, allez à l'écart pour vous « rafraîchir », détendez-vous en faisant une promenade rapide ou bien vérifiez vos messages.

Prenez garde à la saturation sensorielle. Apprenez à la connaître, à vous y préparer, à la gérer. Imposez-vous des limites. Faites le tour des lieux pour vous orienter. Hydratez-vous pour garder l'esprit clair. Ne vous préoccupez pas de ce que vous *devriez* faire.

Visitez la table de documentation. Les organisateurs des activités mettent souvent à la disposition du public divers documents sur leurs produits et services. En feuilletant de tels dépliants, vous pouvez vous renseigner sur vos hôtes, trouver des sujets de conversation et ajuster votre rythme.

Prenez des notes. Sur la carte professionnelle des personnes rencontrées, notez tout renseignement pertinent à leur sujet. Ne surestimez pas votre capacité à vous en souvenir plus tard. Vos notes peuvent inclure :

- Le nom (et des indications sur la façon correcte de le prononcer)
- Le lieu et la date de l'activité
- Des détails de nature personnelle (famille, anniversaire, projet de voyage, intérêts…)
- Un bref sommaire de la conversation
- Le suivi projeté

Prendre des notes permet d'échapper un temps à une interaction sociale ininterrompue.

Savoir mettre fin à une conversation poliment est un art précieux. Il est certainement mieux de clore une conversation plutôt que de la laisser languir. Vous ne souhaitez sûrement pas que vos interlocuteurs se sentent piégés dans leur entretien avec vous. Mettez-y de l'élégance. Et aussi de la chaleur ; ça aide vraiment à bien terminer un échange. Voici différentes formules qui permettent de mettre fin à une conversation avec élégance :

- Pourrais-je avoir votre carte professionnelle ? J'ai beaucoup aimé faire votre connaissance.
- Je vais aller prendre une bouchée/un verre.
- Avez-vous fait la connaissance de X (un collègue qui passe) ?

- ☺ Je vais aller me rafraîchir.

- ☺ Je dois faire un appel.

- ☺ J'ai aimé notre conversation. Merci.

- ☺ Je me ferai un plaisir de poursuivre notre dialogue.

- ☺ Je me suis promis de circuler; je vais devoir faire le tour des invités.

- ☺ J'ai besoin d'aller prendre un peu d'air frais.

- ☺ Je vais m'asseoir un moment.

- ☺ (Un coup d'œil à la montre) Oh! je dois vraiment partir.

- ☺ Vous voulez sans doute parler à d'autres invités; je ne voudrais pas vous accaparer.

Si vous affirmez vous rendre quelque part, *allez-y vraiment* (autrement, vous minerez votre crédibilité d'un seul coup).

Sachez quand partir. Fixez-vous à l'avance un moment raisonnable de *sayonara*. Non, je regrette, 10 minutes après votre arrivée, ce n'est pas un délai acceptable. Consultez vos biorythmes (si vous ne savez pas de quoi il s'agit, feuilletez un manuel de progrès personnel des années 1970).

Soyez attentif aux signes que vous approchez de vos limites. Ne supputez pas comment vous *devriez* vous sentir; quittez avant d'être vidé. Cela dissipera à l'avance vos inquiétudes concernant vos prochaines sorties. Heureusement, vous n'avez pas à pointer quand vous quittez les lieux, et les gens autour de vous ne remarqueront pas l'heure de votre départ. Suivez votre intuition bien rodée. Partez quand vous avez atteint vos objectifs – et avant d'avoir l'impression d'être hors service.

Planifiez votre sortie. Dotez-vous d'un plan de départ. Si vous êtes lié à l'horaire d'autres personnes, trouvez un endroit où vous pouvez les attendre pendant qu'elles se libèrent. Si vous restez sur les lieux alors que vous n'êtes plus alerte, vous ne ferez pas bonne impression.

Après

Assurez un suivi personnel. Les introvertis ont souvent de fines plumes. Envoyer des messages personnels leur donne l'occasion d'exploiter cet avantage naturel. Les introvertis aiment réfléchir avant de consigner leurs mots sur papier. Faites allusion à une partie de la conversation que vous avez eue avec une nouvelle connaissance (ça devrait vous valoir une étoile d'or en tant qu'as du réseautage). Demandez-lui comment va son nouveau projet ou bien comment elle s'en est tirée en tant qu'entraîneuse de l'équipe de foot de Jacquot. Vous ferez une deuxième impression à tout casser.

Optez pour une lettre envoyée dûment par la poste. On remarque un tel geste.

Les extravertis éblouissent par leur conversation pétillante ; les introvertis impressionnent par leur suivi judicieux.

Si vous ne pouvez faire l'effort de préparer une note manuscrite ou dactylographiée, envoyez un courriel – c'est le meilleur troisième choix.

Les notes personnelles (les courriels ou les notes écrites) ont le plus d'effet quand elles sont envoyées dans les 48 heures suivant la rencontre – quand on se souvient de part et d'autre de la récente interaction. Les souvenirs et les inspirations s'effacent vite.

Rendez service. Songez à envoyer à votre nouvelle connaissance un article ou un lien hypertexte qui se rapporte à votre conversation. Une telle attention est plus appréciée qu'un simple envoi de renseignements sur votre personne ou sur votre entreprise – envoi qu'on pourrait même considérer comme une intrusion, à moins que l'autre personne vous ait explicitement demandé ces informations. Ce type de geste souligne que vous vous souvenez de la personne en question et de votre entretien avec elle, et que vous vous intéressez suffisamment à elle pour la relancer. Ce faisant, vous lui rendez service et vous vous signalez comme quelqu'un qu'il vaut la peine de connaître. Cela cimentera ce qui a commencé au moment de votre rencontre : une relation authentique. Vous pouvez inclure dans votre message l'adresse de votre site Web ou vos coordonnées, invitant ainsi le destinataire à en apprendre plus sur ce que vous êtes en mesure de lui offrir.

Montez-vous un dossier actualisé de ressources utiles. Marquez d'un signet dans votre navigateur les liens qui peuvent intéresser. Mais attention : l'envoi d'un article qui date de 10 ans, à moins qu'il ne s'agisse d'un vrai classique, ferait croire que vous n'êtes plus branché.

Évaluez les avantages et les risques d'envoyer des fichiers avec vos messages. Les courriels comportant des fichiers joints sont plus susceptibles de se faire intercepter par les filtres antipourriel. S'il s'agit d'un article court, envisagez plutôt de l'incorporer à votre courriel. Ou encore, incluez dans votre courriel le titre et le premier paragraphe de l'article, suivis de son adresse URL. Si vous ne recevez pas de réponse dans les deux semaines, envoyez un message de relance, bref et allègre. Une seule fois.

Récompensez-vous. Promettez-vous une récompense si vous assistez à une activité donnée et si vous atteignez votre objectif. Offrez-vous une récompense simple ou spéciale, comme vous voulez : par exemple, visitez votre galerie d'art préférée, faites-vous masser, payez-vous un petit régal ou faites la grasse matinée.

Au-delà. Maintenez votre erre d'aller et efforcez-vous d'aller au-delà de ce qui vous est confortable. Songez par exemple au souper-partage qu'organise votre équipe tous les mois. Ce repas que vous évitez toujours, alors que vous ne trouvez plus de prétexte plausible pour excuser votre absence. Considérez la possibilité d'y assister une fois pendant une heure. De telles interactions hors du bureau peuvent avoir un effet remarquable sur les rapports professionnels et la productivité. Il faudrait évidemment vous y confiner à des sujets d'entretien autres que ceux du bureau. Autrement, autant vous trouver à une réunion ordinaire du personnel.

Les porte-noms et vous

Je consacre beaucoup plus de temps et de réflexion que la moyenne des gens à de menues questions comme celle des insignes. Pire, c'est là un sujet sur lequel j'ai une foule d'opinions bien arrêtées. Certains occupent leur esprit par des sujets élevés, telles que la philosophie, la politique ou les statistiques sportives – moi, je me suis égarée dans les tranchées des porte-noms. Mais mon obsession a une retombée avantageuse – une seule. Je peux partager avec vous mes idées soigneusement approfondies.

Priorisez. Il peut arriver que des insignes imprimés à l'avance contiennent des renseignements erronés ou des erreurs d'orthographe. À vous de décider s'il est nécessaire de les corriger. Si vous décidez de les corriger, il vous faudra sans doute remplacer votre insigne imprimé, semblable à celui de tous les participants préenregistrés, par un insigne manuscrit, comme celui des personnes qui se sont inscrites à la dernière minute. Si on a mal épelé votre prénom (Steven au lieu de Stephen, Michèle au lieu de Michelle, Lise au lieu de Lyse), vous pourriez décider de laisser tomber la correction. Nul besoin non plus de signaler cette erreur à tous. Par ailleurs, il pourrait valoir la peine de corriger un titre erroné qui ne tient pas compte d'une récente promotion.

Présentation. Lorsque vous écrivez votre propre insigne, servez-vous du marqueur le plus épais (donc, pas un stylo-bille, mais un crayon feutre à trait large). Écrivez votre prénom (si c'est ainsi que vous voulez qu'on s'adresse à vous) en grandes majuscules, en ajoutant en dessous, en lettres plus petites, les renseignements additionnels requis. En général, ils comprennent votre nom de famille et le nom de votre société. N'encombrez pas votre insigne de renseignements non pertinents. Si vous faites une erreur, jetez l'insigne en question et préparez-en un autre – il ne faut rien biffer. Un porte-nom bousillé n'est ni lisible ni professionnel.

Bien des gens préparent leur insigne à la va-vite. Prenez le temps qu'il faut, car il s'agit de l'objet le plus important que vous portiez.

Poursuivez. Examinez les insignes des autres pour déceler des convergences et des intérêts partagés. Ils contiennent des renseignements qui peuvent vous servir au moment d'engager la conversation.

Plastique. Si les insignes sont insérés dans des enveloppes de plastique, tant mieux. J'aime glisser quelques-unes de mes cartes professionnelles dans l'enveloppe, derrière l'insigne. Ainsi, elles sont ainsi accessibles, elles sont regroupées en un seul endroit et elles me laissent les mains libres. Vous pouvez même loger dans l'enveloppe les cartes d'autres personnes que vous avez rencontrées durant l'activité en question. Assurez-vous simplement de ne pas vous tromper de carte quand vous voulez donner une des vôtres. Et voilà. Vous connaissez maintenant tous mes petits secrets.

Gérer les conversations

Il y a toute une série de questions qu'un introverti considère comme strictement privées, mais qu'un extraverti n'a aucun scrupule à poser à un inconnu. Comment réagir devant une question de cette nature?

Suspendez votre jugement et essayez de ne pas vous offusquer. Après tout, vous ne voudriez pas que votre extraverti amical se sente personnellement offensé par votre propre besoin de protéger votre vie privée, n'est-ce pas? Considérez les questions types suivantes et planifiez vos réponses.

Je vous propose une liste qui vous donne des suggestions de réponses; vous pouvez bien sûr modifier celle-ci en fonction du contexte. Voici les questions:

☺ Combien de temps projetez-vous de travailler ici?

☺ Combien _____ vous a-t-il coûté?

☺ Quelle est votre rémunération?

☺ Avez-vous une famille?

☺ Aimez-vous (telle personne)?

☺ Quel âge avez-vous?

☺ Pour qui avez-vous voté?

☺ Êtes-vous religieux?

☺ Quel est votre avis sur (un sujet de controverse)?

☺ Pourquoi pensez-vous que (telle personne) a vraiment été promue?

☺ Que pensez-vous vraiment de (cet endroit/votre société)?

Voici les réponses possibles; elles sont, pour la plupart, interchangeables:

☺ Difficile à dire. Et vous?

☺ Je ne me souviens pas.

☺ Je ne peux me souvenir à quel moment je l'ai vérifié pour la dernière fois.

☺ Oui, et vous?

☺ Bien sûr.

☺ Vous voulez essayer de deviner?

☺ J'aime autant ne pas aborder cette question.

☺ C'est relatif.

☺ Ça dépend de ce que vous voulez dire.

☺ Pourquoi demandez-vous ça?

☺ Je ne peux pas traiter de tout ça à présent.

☺ J'essaie de ne pas y penser.

☺ Il faudrait que j'y réfléchisse.

☺ Je ne suis pas ici depuis assez longtemps.

☺ Et VOUS, qu'en pensez-vous?

☺ (Haussement d'épaules) Voulez-vous venir prendre quelque chose au buffet/bar?

☺ Oh, ça! (Soupir) Parlons d'autre chose.

Il faut absolument accompagner toutes ces réponses d'une attitude positive, d'un ton léger et d'un sourire amical. Si vous vous sentez mal à l'aise ou acculé à une impasse, gardez en réserve l'échappatoire que voici : «Je dois filer. Heureux d'avoir fait connaissance!» Puis éloignez-vous assez pour ne pas être repéré, et attendez un peu avant d'amorcer un autre entretien, ou prenez un moment de repos.

Autre truc utile : décidez à l'avance quoi dire, dès le départ, quand vous ne voulez pas engager une conversation avec quelqu'un. Pour ma part, j'ai remarqué qu'il me suffit de dire : «Je suis consultante.» La réaction typique? Le regard éteint, l'autre a du mal à contenir un bâillement.

On me laisse tomber en un rien de temps.

Chapitre 7

Adieu, règle d'or !

---

*Une personne agréable, à mon sens, est une personne
à qui mes idées agréent.*

– Benjamin Disraeli

La règle de platine

La règle d'or est une des maximes les plus citées en matière de bons sentiments envers les autres. Il en existe sans doute autant de versions qu'il y a de langues. En voici une brève paraphrase :

– RÈGLE D'OR
Traitez les autres comme vous voulez être traité.

Pourquoi pas ? Ça paraît logique. Mais voyons maintenant ce qui se passe vraiment quand on applique cette règle à la lettre.

Un introverti et un extraverti travaillent dans le même service. Ils décident de se rendre ensemble à une réunion où ils pourront faire du réseautage. Chacun adhère fermement à la règle d'or.

À son arrivée, Gérard, l'extraverti, se précipite allègrement vers un groupe déjà rassemblé au centre de la salle. Il traîne Paule, l'introvertie, dans son sillage. Il sait qu'elle peut se fondre dans la foule. Il l'aime bien et souhaite qu'elle s'amuse. Comme la conversation s'oriente vers des présentations qui ont mal tourné, Gérard se rappelle que Paule a subi la veille une déconvenue. « Hé, Paule ! lance-t-il. Raconte ce qui t'est arrivé hier ! C'est trop drôle. » Il est bien intentionné et tient compte du fait que l'incident n'a eu aucune conséquence sérieuse ni durable. Paule n'en est pas moins mortifiée. La dernière chose qu'elle veut faire, c'est aborder devant des inconnus un incident gênant qu'elle considère comme relevant de sa vie privée.

Faisons maintenant le cheminement inverse. Même toile de fond : Paule et Gérard participent à une réunion de réseautage. Paule, l'introvertie, est extrêmement sensible à ce qui peut relever du domaine personnel. Elle se trouve avec un petit groupe de personnes dont elle vient de faire la connaissance, et on lui pose des questions sur une de ses récentes réussites professionnelles. Bien qu'elle sache que Gérard a connu récemment un succès semblable au sien, elle évite d'en parler de peur que Gérard considère ce renseignement comme privé. Gérard, lui, se sent diminué par Paule, qui a passé sous silence sa réussite à lui.

Ces deux scènes illustrent la règle d'or : en effet, les deux collègues se traitent mutuellement comme ils voudraient eux-mêmes être traités. Le résultat ? Chacun est malheureux de la situation.

Je propose plutôt qu'on recoure à une nouvelle et meilleure règle (allez, trompettes) :

– RÈGLE DE PLATINE
Traitez les autres comme ils veulent être traités !

Je suis étonnée de voir à quel point cette règle est considérée comme l'élément le plus précieux des séminaires que je donne. Elle aboutit à une modification radicale des interactions et des échanges, notamment entre introvertis, centrovertis et extravertis.

Appliquer la règle de platine plutôt que la règle d'or exige beaucoup de travail. Si j'utilise la règle d'or, j'agis toujours de la même façon. C'est facile. Je pense simplement à ce qui me plaît et je traite tout le monde de cette manière. Malheureusement, rien que sur le plan des rapports entre introvertis, centrovertis et extravertis, je ne réussirai pas, dans la majorité des cas, à obtenir des résultats satisfaisants.

Pour appliquer la règle de platine, il faut exploiter les deux compétences suivantes (ce qui n'est pas un mince défi) :

1. La capacité à évaluer rapidement, quoique de façon approximative, les préférences naturelles d'une autre personne.

2. La capacité à faire preuve de souplesse, de façon à pouvoir moduler son style interpersonnel.

Ainsi, la pleine application de la règle de platine exige que vous modifiiez ou adaptiez votre façon de communiquer en fonction des caractéristiques de votre vis-à-vis – de chaque personne que vous rencontrez, en fait.

Il n'est tout simplement pas réaliste de supposer que les autres s'ajusteront à votre propre style. La plupart des gens sont incapables d'appliquer efficacement la règle de platine. C'est pourquoi il vous revient de le faire. Mais ne désespérez pas ! Vous n'êtes pas obligé d'y arriver parfaitement ni toujours. Réjouissez-vous : lorsque vous y parviendrez, les retombées seront fantastiques. Vos rapports avec autrui deviendront plus chaleureux, et vos réseaux se multiplieront. C'est un effort qui rapporte.

Un monde les sépare

Au cours d'un séminaire de perfectionnement des cadres, deux jeunes hommes se sont adressés à moi pour discuter d'une collègue «difficile, négative», qui s'appelait Anne. Ils la décrivaient en secouant la tête lentement, comme s'ils essayaient par là de me communiquer leur exaspération et leur incompréhension.

En outre, ils m'ont raconté le fait suivant, comme s'il était inacceptable : «Nous avons un club pour les anniversaires, ce qui nous permet de célébrer en groupe ces événements. Mais Anne refuse de préciser sa date de naissance. Elle dit que ça ne nous regarde pas.» Ils se sont arrêtés là, hors d'haleine, sûrs que je serais d'accord avec eux. Mais moi, j'ai lancé : «Un instant ! S'agit-il de la Anne qui assiste aussi à ce séminaire ?» Quand ils ont acquiescé, j'ai compris tout de suite la situation.

J'ai songé qu'Anne était indubitablement une introvertie. Entre autres choses, j'avais observé sa façon d'écouter intensément, puis de rentrer en elle-même pour assimiler. Durant nos deux jours ensemble, j'avais été frappée par son esprit vif, sa grande sincérité et sa loyauté remarquable envers ses coéquipiers.

Ces deux extravertis bien intentionnés ne pouvaient comprendre pourquoi quelqu'un déclinait leur invitation à participer à des réunions amicales. Ce refus les perturbait ; ils l'interprétaient comme un rejet. Ils avaient donc cessé de parler à leur collègue.

Il faut savoir que, dans le milieu où Anne a été élevée, la date de naissance est considérée comme une donnée personnelle et privée. Par ailleurs, il faut comprendre que, en tant qu'introvertie, Anne ne se réjouissait pas à la perspective de fêter son anniversaire régulièrement en groupe, entre collègues de travail : cela lui semblait ennuyeux et superficiel. Et les conversations banales de ses collègues constituaient à ses yeux une perte de temps qui la laisserait vidée et confuse.

Je ne leur ai pas expliqué tout cela. Ils en auraient eu beaucoup trop à digérer. Mais je leur ai expliqué que les gens peuvent interpréter différemment un fait ou un propos. Je leur ai recommandé de ne pas ostraciser Anne et de ne pas la contraindre à «s'amuser» à leur façon. Nous avons discuté de la façon de reconstruire avec elle une relation professionnelle qui conviendrait à chacun d'eux, en commençant par lui sourire et par lui dire bonjour la prochaine fois qu'ils passeraient près de son bureau, et en progressant graduellement à partir de là.

Les rapports qu'ils m'ont faits par la suite à ce sujet ont été des plus encourageants.

Grâce à la règle de platine, la compréhension l'emporte sur la frustration. Auparavant, je ne comprenais pas quel vaste écart séparait Introville de Planète Extra. Je m'irritais de comportements qui s'opposaient à ma conception personnelle des convenances.

Maintenant que j'ai intégré dans ma vie la règle de platine, je réagis à de telles différences avec humour et même avec gratitude.

Soyez un limier. Changez votre cadre de pensée : représentez-vous en détective, toujours à l'affût d'indices. Les gens nous bombardent d'indications sur la façon dont ils pensent, dont ils fonctionnent et dont ils aiment qu'on les traite. Ces indices verbaux et non verbaux nous permettent d'ajuster nos échanges avec eux, ce qui accroît nos chances d'obtenir une réaction favorable. Où que vous soyez, vous pouvez mettre au point votre capacité à capter des signaux susceptibles d'orienter vos échanges. Vous jouirez par là d'une retombée imprévue : vous ne serez plus jamais condamné à vous ennuyer à une réunion ou dans une file d'attente. Observez simplement tout ce qui s'exprime autour de vous sans pour autant être verbalisé.

Le respect. En agissant à titre d'animatrice durant des séminaires ou des périodes de réflexion, j'ai remarqué à que point la notion de respect émerge dans les discussions de groupe. Les participants se lamentent :

☺ Nous devons nous respecter davantage les uns les autres !

☺ Elle ne me respecte pas.

☺ On ne se respecte pas assez, ici.

☺ X ne respecte pas les autres, c'est évident.

Mais que se passe-t-il donc ici ? Les humains seraient-ils par nature incapables de respect ? Non. Le problème est plus facile à résoudre que cela.

Le respect est un concept vague, qui ne se définit pas facilement, et une qualité qu'on ne peut mesurer. En outre, les gens sont complexes. Rien qu'en considérant l'écart entre les introvertis et les extravertis, on voit à quel point il est difficile de concevoir le respect comme une réalité objective.

Imaginons que Rachel est partie en vacances pour deux semaines. À son retour, Marissa, une extravertie qui travaille avec elle, souhaite lui témoigner le respect qu'elle lui porte. S'inspirant de la règle d'or, elle décide de la traiter comme elle aimerait elle-même être traitée. Elle se précipite vers elle et lui serre affectueusement les épaules en lançant :

« Hé, Rachel ! Je suis si heureuse de ton retour ! J'espère que tout va bien. Si tu as besoin de parler de quoi que ce soit, souviens-toi que ma porte t'est toujours ouverte. »

Comment supposez-vous que Rachel, une introvertie, réagira à un tel accueil ?

Elle le vivra sans doute comme une intrusion. Elle ne connaît pas bien Marissa, et son débordement d'amitié lui semblera déplacé. Elle n'appréciera pas d'être touchée par une quasi-étrangère. Et elle n'appréciera pas du tout que Marissa agisse aussi ostensiblement devant tous les autres.

Imaginons maintenant un scénario inverse. Guapo, un extraverti, revient, lui aussi, après deux semaines d'absence. Son collègue Joseph, un introverti, l'aperçoit au travail le lundi matin. Désireux de se montrer respectueux, Joseph traite Guapo comme il voudrait qu'on le traite lui-même. Il dit poliment bonjour, comme si rien ne sortait de l'ordinaire. Pourquoi, en effet, attirerait-il l'attention sur quelqu'un qui s'est absenté pour des raisons personnelles ?

Guapo est offusqué. Il se dit : « Comme Joseph est impoli et insensible ! Je m'absente du bureau pour des raisons personnelles, et il se comporte comme si j'avais été là hier. De toute évidence, il ne se soucie que de ma productivité. »

Vous voyez le problème ? Marissa et Joseph sont pleins de bonnes intentions. S'inspirant de la règle d'or, ils traitent leur coéquipier comme ils voudraient eux-mêmes être traités. Dans les deux cas, leurs efforts sincères ont des résultats absolument contraires à ceux qu'ils visaient. Rachel et Guapo sont décontenancés et même offusqués. Chacun dirait qu'on lui a manqué de respect.

Comment la règle de platine permettrait-elle de renverser cette situation ? En premier lieu, Marissa et Joseph se connaîtraient assez pour bien évaluer leur style d'interaction. Chacun d'eux serait également un observateur assez fin pour percevoir la façon dont leur collègue souhaiterait être traité. Ils se tromperaient à l'occasion, mais ils s'efforceraient d'être à l'écoute de l'autre. En fin de compte, ils parviendraient à moduler leur style de communication et à adapter leurs réactions aux diverses situations et personnes en cause.

Moduler son style

La marge est étroite. D'une part, je vous dis : soyez fidèle à la personne que vous êtes. D'autre part, je vous répète qu'il est important, pour qui veut réseauter, de savoir moduler judicieusement son style. Comment résoudre cette apparente contradiction ? La réponse nous ramène à notre distinction entre l'interne et l'externe.

Vos motivations internes ne changent pas. Vous êtes qui vous êtes. Votre comportement résulte de vos choix intimes. Mais plus vous êtes réfléchi, plus vous êtes un communicateur habile, plus vous captez finement les indications non verbales, plus vous avez de choix.

Disposer d'une gamme de comportements parmi lesquels choisir accroît vos possibilités de former de vraies relations. Pour ma part, j'ai établi avec des extravertis à tous crins des relations irremplaçables, que je compte cultiver toute ma vie durant. Et s'il m'arrive souvent d'être classée comme une extravertie, c'est que je peux moduler mon style externe – et même y trouver du plaisir !

Passez à l'action !
« Pliez les bras »

Pour comprendre de façon quasi viscérale comment moduler votre style, faites l'expérience suivante :

Mettez-vous debout, et secouez les bras. Attention ! vous ne devez rien avoir dans les mains. Détendez-vous un peu. Maintenant, croisez les bras normalement, comme vous le faites habituellement (par exemple, le bras droit en dessous de l'aisselle gauche, et le bras gauche, au-dessus de l'aisselle droite). Restez dans cette position quelques instants et notez ce que vous sentez.

Secouez les bras de nouveau. Maintenant, croisez les bras inversement à la façon dont vous vous y prenez d'habitude. Vous ne réussirez peut-être pas tout à fait, mais faites de votre mieux.

Secouez de nouveau les bras, puis pliez les bras normalement.

C'est votre dernière chance de vous secouer, alors profitez-en : esquissez quelques coups de pied, un pas de danse... Personne ne vous observe... à moins que vous soyez à la bibliothèque, auquel cas votre manège incitera de nombreux lecteurs à réserver ce livre, ce qui me convient tout à fait.

Dernière étape de l'expérience : croisez les bras une dernière fois en inversant leur position habituelle.

A. Décrivez en trois mots ou en trois phrases ce que vous avez ressenti en croisant les bras normalement la première fois :

1. _____

2. _____

3. _____

B. Maintenant, décrivez en trois mots ou en trois phrases ce que vous avez ressenti en inversant la position habituelle de vos bras pour la première fois. Écrivez simplement les trois premières choses qui vous viennent à l'esprit :

1. _____

2. _____

3. _____

C. Est-ce que c'était plus facile, du moins un peu plus facile, d'inverser la position habituelle de vos bras la deuxième fois ? Encerclez une des trois réponses.

Oui   Non   Un peu

D. Si votre succès professionnel et votre progrès personnel dépendaient de votre capacité à inverser la position habituelle de vos bras quand vous les croisez, pourriez-vous vous entraîner ?

Oui   Non   Peut-être

ANALYSE

Cette expérience sert à illustrer le processus de modulation du style. Quand vous avez croisé les bras à la manière habituelle, vous avez procédé automatiquement, sans effort conscient. C'est également ce qui se passe quand on se comporte conformément à son style de personnalité naturel.

Quand vous avez croisé les bras d'une nouvelle façon, il vous a fallu penser consciemment au placement de vos membres supérieurs. Vous avez donc fait un effort pour essayer un nouveau «comportement» – une nouvelle réaction à une situation.

Donc, lorsque vous vous exercez pour la première fois à moduler votre style, vous ressentez (insérez ici les réponses que vous avez données au point B).

Il est plus facile pour certains de changer la façon dont ils croisent les bras que ça ne l'est pour d'autres. Par exemple, cet exercice peut ne présenter aucune difficulté pour une personne ambidextre. De même, le centroverti – qui se situe entre l'introverti et l'extraverti – trouvera relativement facile de moduler son style; il ne devra pas beaucoup se fatiguer pour se mettre en rapport avec l'extraverti ou pour parler le même langage. Par contre, l'introverti – qui se situe à l'autre extrémité du spectre – devra faire un effort marqué pour arriver à varier son style.

Souvenez-vous que le tempérament est lié à la préférence et non à l'aptitude. Au fil du temps, il devient plus facile de changer sa manière de plier les bras; il en est de même de la modulation du style de communication. Si vous tenez vraiment à adapter votre style, vous serez capable d'apprendre – littéralement et métaphoriquement – à inverser votre position habituelle.

Moduler pour réussir

Tanya est très estimée en tant que vice-présidente directrice d'une entreprise faisant partie de la liste Fortune 100. Elle a toujours été fidèle à son organisation, dont elle a gravi régulièrement et aisément les échelons.

Dans le contexte d'une économie déprimée, l'entreprise pour laquelle elle travaille décide un jour que tous ses cadres doivent essayer d'élargir leur clientèle. Tanya a toujours trouvé pénible la chasse aux clients et elle ne s'y est jamais adonnée dans le passé. Là encore, elle juge qu'elle peut se permettre de remplir ses fonctions comme elle l'a toujours fait, car elle a de très bons rendements.

Au fil des mois, toutefois, elle commence à se rendre compte qu'il lui faut surmonter son aversion pour le réseautage et pour la vente de services. Va-t-elle se forcer à doubler son réseau, à participer à toutes les activités sociales de son bureau, à déjeuner avec ses collègues et à assister aux activités hebdomadaires de l'industrie? Non.

Elle met soigneusement en place une stratégie qui s'éloigne considérablement des idées reçues en matière de réseautage. Après un examen méthodique de ses relations, elle choisit d'entrer en rapport avec une seule personne: Marc, un ami rencontré à l'université. Au cours d'un entretien en tête-à-tête, elle lui dit qu'elle tient beaucoup à organiser une réunion pour discuter avec lui de la possibilité d'une collaboration entre leurs deux entreprises. Elle est convaincue qu'une telle alliance sera bénéfique pour les deux. Durant leur rencontre, elle réussit à en convaincre Marc.

Quand Tanya fait part des progrès de ce dialogue aux dirigeants de son entreprise, ceux-ci accueillent la nouvelle avec stupéfaction. Il s'avère que la société essaie en vain, depuis des années, à forger une relation avec la compagnie de Marc. Au bout de quelques mois, l'initiative de Tanya donne des résultats rentables (sous forme de contrats représentant plusieurs millions de dollars), qui dépassent toutes les attentes. Tanya est convaincue que cette opération représente la contribution la plus importante qu'elle a faite à sa société durant ses 23 ans de service.

MODÉRER SES SOUHAITS

Lorsque vous manifesterez vos aptitudes innées pour le réseautage, les autres se mettront à graviter autour de vous. Vous devrez alors évaluer avec beaucoup de prudence votre réserve d'énergie. C'est ce que j'ai dû faire il y a plusieurs années, et les gens ont réagi très favorablement quand j'ai assumé pleinement ma nature d'introvertie.

Apprendre à réseauter en tenant compte de mes points forts m'a permis de me libérer. Ce qui m'avait paru impossible, insurmontable, redoutable se réalisait sans peine... Cependant, un trop grand nombre de gens s'était mis à graviter autour de moi pour que ce soit gérable. Ce genre de situation rappelle qu'il faut modérer ses souhaits. Ce n'est pas parce qu'on est parvenu à maîtriser l'art du réseautage qu'on éprouve un besoin de solitude moins impérieux.

**Vos préférences intimes demeurent les mêmes
alors même que vos comportements évoluent.**

Si vous ne gérez pas soigneusement la multiplication de vos interactions, vous serez vidé. Je suis d'humeur positive et j'aime faire rire les gens. On engage volontiers avec moi des conversations amicales. J'essaie d'être gentille, et je donne l'impression d'être fort accessible. Mais attention! j'ai un peu le sentiment de jouer dans ma propre émission-vérité. Introduisez une introvertie dans un monde où une enseigne géante proclame au-dessus de sa tête: «Parlez-moi!» et voyez ce qui va se passer.

Comment me conseillez-vous de faire face à cette situation?

_____

_____

_____

_____

Bien. Gardez à l'esprit ce conseil. À mesure que vous apprendrez à réseauter de mieux en mieux, vous aurez besoin de vous en souvenir et de le mettre vous-même en pratique.

L'APPARENCE ET LA RÉALITÉ

Les préférences personnelles sont en nous. De l'extérieur, il est difficile de les discerner. À une réunion, il est possible qu'un observateur ordinaire ne remarque pas de différence radicale entre un extraverti et moi – en ce qui a trait, par exemple, à la raison pour laquelle nous avons décidé d'assister à la rencontre. Peut-être que nous poursuivons le même objectif: faire de nouvelles connaissances, mais que ce ne soit pas ce qui nous a poussés à nous présenter à la réunion. Peut-être que ce qui m'importait était de relever un défi, alors que l'extraverti, lui, cherchait surtout à s'amuser.

Chapitre 8

Réseauter sans filet de sécurité

S'il n'y a pas de vent, ramez.

– Proverbe latin

J'ai une bonne et une mauvaise nouvelle à vous annoncer... et il s'agit de la même nouvelle :

La vie constitue la plus grande occasion de réseautage qui soit.

Là, là, on se calme. En cas d'hyperventilation, on respire dans un petit sac de papier. La panique ne mène à rien.

J'ai une autre bonne nouvelle à vous annoncer : la plus grande partie de la vie ne constitue pas un *événement* de réseautage.

Le réseautage ne se résume pas à une série d'activités distinctes, à entreprendre à telle heure et à tel endroit. Pour le meilleur ou pour le pire, il s'agit d'un processus continu. « Quel meilleur ? » se demanderont sans doute les gens qui répugnent à réseauter. Ils devraient tout de même résister à la tentation de se terrer dans un endroit sûr, où ils pourraient enfin faire une croix sur le réseautage.

Si vous jugez que vous en avez déjà plein les bras sans même réseauter à longueur de journée, l'information que je viens de vous communiquer ne vous sera probablement pas d'un très grand secours. Je vous comprends bien. Si vous n'avez pas beaucoup de relations, par contre, c'est votre jour de chance. Sachez que chaque interaction sociale constitue une occasion. Chaque rencontre recèle un potentiel illimité. Chaque sortie, chaque personne rencontrée est une expérience de réseautage.

Quitte à marteler mon argument, j'ajouterais ceci : chaque fois que vous n'êtes ni seul ni privé d'une connexion Internet, vous êtes dans une situation de réseautage.

Structurer le succès

Les personnes débordées ou isolées peuvent se montrer charmantes lorsqu'elles font du réseautage. Imaginez qu'on vous offre la possibilité de rencontrer quelqu'un. Une fois la conversation engagée avec cette personne, vous vous rendez tous les deux compte que vous gagneriez à vous connaître davantage. Vous échangez vos coordonnées.

☺ Est-il probable que vous donnerez suite à cette rencontre au moyen d'un courriel ou d'un coup de fil ?

☺ Comment décririez-vous la conversation que vous avez eue ? La qualifieriez-vous d'agréable ? De productive ?

Les gens qui estiment avoir peu de connaissances sont justement ceux qui sont le plus susceptibles de cultiver et de consolider des relations, dans la mesure où celles-ci leur semblent intéressantes.

Une journée idéale

À certains séminaires, je classe les participants en fonction de leur tempérament, et je forme des équipes en conséquence. Je demande ensuite aux participants de dresser la liste des choses qu'ils feraient pendant la journée de leurs rêves. Les extravertis me demandent aussitôt: «Est-ce qu'on peut tous travailler ensemble? Est-ce qu'on passera cette journée ensemble?» Dans bien des cas, ces gens se connaissent depuis moins d'une minute. Pourtant, ils s'imaginent déjà vivre des moments idylliques, en vrais amis. À leurs questions, je réponds ceci: «Ça dépend de vous.»

Soulagés, ils se mettent immédiatement à brasser des idées à propos de leur journée de rêve et produisent une longue liste d'activités incontournables. Ils rient, s'interrompent et, pour tout dire, font un beau vacarme. Quand je leur demande de m'indiquer lesquelles seraient collectives, ils me répondent: «Toutes!» À en juger par leur expression, ils trouvent ma question absurde. Pour eux, c'est une évidence: une journée passée seul ne promet pas d'être amusante, mais désolante. Autre évidence: pendant leur journée idéale, ils sont entourés d'amis (au sens large du terme), et celle-ci se conclut par un événement festif.

Presque invariablement, les introvertis présentent une brève liste de leurs propres passe-temps – auxquels ils s'adonnent habituellement seuls, bien sûr. Quand je leur demande de préciser lesquels de leurs loisirs incluraient la participation d'autres personnes, c'est à leur tour de rire. «Aucun», me répondent-ils.

Les centrovertis – ceux qui se situent au milieu de l'échelle I/E – forment leur propre groupe. Conformément à leur type de personnalité, ils optent pour certaines activités qui sont collectives, et pour d'autres qui sont individuelles. Ils se démarquent par le fait qu'ils indiquent généralement qui participera aux activités choisies (par exemple, «mon meilleur ami»), alors que les extravertis sont plutôt vagues à ce sujet et s'imaginent entourés d'un plus grand nombre d'individus (à une fête autour de la piscine, par exemple).

Prendre le temps de réfléchir

Les gens qui se disent allergiques au réseautage préfèrent participer à des activités ou à des programmes bien structurés, visant des buts précis.

À leurs yeux, quels seraient les meilleurs choix ? Suivre un cours, participer à un programme de perfectionnement professionnel, organiser une rencontre casse-croûte, s'inscrire à une série de conférences, se joindre à une unité d'intervention, offrir de siéger au conseil d'administration d'un organisme sans but lucratif (OSBL) ou participer à une excursion à but éducatif ? Une introvertie avec qui je travaille m'a déjà confié qu'elle ne participe qu'à des programmes bien structurés ; elle fuit les réunions informelles, même si celles-ci lui permettraient de faire du réseautage.

Vous offrez vos meilleures performances quand vous vous intéressez réellement à un sujet ou à une certaine forme d'événement. Lorsque vous vous investissez pleinement dans une activité, vous vous sentez plus à l'aise. Durant les conversations, les mots vous viennent plus facilement.

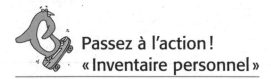

Passez à l'action !
« Inventaire personnel »

Pourquoi ne pas énumérer les circonstances dans lesquelles vous vous épanouissez ? Si vous ne dressez pas cet inventaire maintenant, quand vous y mettrez-vous ? Les situations qui mettent en relief vos points forts forment autant d'occasions pour vous d'obtenir du succès en matière de réseautage. Cet exercice ne vous coûtera presque aucun effort et vous permettra de vous affirmer.

1. Rappelez-vous les expériences que vous avez aimées et les activités durant lesquelles vous étiez au sommet de votre forme. Les exemples peuvent être professionnels ou personnels ; il serait bon de les diversifier. Soyez spontané en dressant votre liste. C'est l'hémisphère gauche de votre cerveau qui vous incite à mettre l'accent sur la logique et la pertinence, mais vous n'êtes pas tenu de l'écouter dans ce cas-ci.

Prenez un moment, fermez les yeux, respirez profondément afin d'être alerte et ouvert, et laissez les souvenirs agréables ressurgir. Décrivez-en cinq, tout au plus, dans la première colonne.

Situation passée	Pourquoi ça a marché	Occasions de réussir
1.		
2.		
3.		
4.		
5.		

2. Examinez les situations énumérées. Dans la deuxième colonne, expliquez pourquoi vous étiez à l'aise et épanoui : qu'est-ce que ces situations avaient de particulier ? Voici quelques exemples de réponses : « J'avais un rôle clairement défini ; je faisais une activité agréable ; j'étais stimulé sur le plan intellectuel ; je relevais un défi physique ; je vivais une nouvelle expérience ; je faisais quelque chose de fondamentalement gratifiant ; j'apprenais. »

3. Dans la troisième colonne, imaginez des situations qui répondent aux critères dégagés à la colonne 2. Ne censurez pas vos pensées : il s'agit de faire un remue-méninges. Voici un exemple :

J'ai fait du bénévolat à l'occasion d'un congrès national de professionnels œuvrant dans mon domaine.	J'avais un rôle clairement défini. J'ai aimé les conférences ; j'étais autonome, mais bien encadré. Puisque j'étais bénévole, je pouvais facilement parler aux autres participants. J'ai pu à la fois apprendre et rendre service.	Je pourrais étudier la possibilité de faire du bénévolat dans un théâtre des environs, étant donné que je ne prends plus vraiment le temps d'aller au théâtre. J'aurais un rôle bien défini, et je pourrais assister aux représentations et rencontrer d'autres personnes tout en rendant service.

Vous remarquerez que la situation originale et la possibilité envisagée sont assez différentes ; et pourtant, l'une s'inspire de l'autre. La situation future est définie en fonction des facteurs qui vous ont permis de réussir la première fois. Il faut aussi noter qu'un congrès national a lieu à différents endroits, d'une année à l'autre. Il n'offre donc pas la possibilité de faire du réseautage de façon continue. On peut résoudre ce type de problème en offrant ses services à une organisation locale.

Avant de décider du prochain pas à faire, il importe de savoir ce qu'on cherche à réaliser. Si votre objectif est de trouver un nouvel emploi, et si vous voulez également travailler dans le domaine de l'art, le choix donné en exemple est idéal. Si vous êtes ingénieur électricien et si vous êtes habituellement à l'emploi d'entreprises de haute technologie, ce scénario peut également convenir, mais pour des raisons différentes. Il se peut, en effet, qu'en vous intéressant de nouveau à l'art vous espériez apporter un certain équilibre à votre vie ou que vous vouliez faire du réseautage dans des milieux que vous ne fréquentez pas habituellement. Si votre seule préoccupation est de vous trouver un emploi d'ingénieur électricien, votre troisième colonne pourrait se présenter ainsi :

« Je pourrais trouver une association d'ingénieurs électriciens dans le coin. Je ferais du bénévolat pour elle à certaines occasions. Si cela semblait opportun, j'envisagerais de siéger au conseil d'administration. »

NON, EST-CE QUE ÇA VEUT DIRE NON?

Il se peut que votre allergie au réseautage soit devenue de plus en plus sévère, voire contraignante, au fil des ans et qu'elle se soit muée en stratégie défensive. Elle vous empêche peut-être de vous engager dans des activités de réseautage. Si tel est le cas, il serait temps de revoir votre stratégie.

«Pas si vite!» s'exclament généralement les introvertis. Mais avouons la vérité: nous avons tendance à dire non avant de dire oui.

Pourquoi donc? Pourquoi les introvertis regimbent-ils généralement devant l'imprévu, qu'il s'agisse de demandes, de changements ou de défis? Allez, ne vous mettez pas sur la défensive; j'ai la même propension. Et je me bidonne en écrivant ces lignes, car je vous imagine en train de rager silencieusement: «Mais non! ce n'est pas vrai! Je ne dis pas toujours non!»

Puisque nous effleurons le sujet, je dois admettre que j'ai déjà entendu dire que les introvertis ont tendance à être négatifs.

À quoi tient notre triste réputation? À notre besoin d'assimiler. Si on présente une nouvelle idée à un introverti sans lui laisser le temps d'y réfléchir, il la rejettera sans doute. Mais il y a moyen de contourner le problème. Si vous devez proposer quelque chose à une personne que vous soupçonnez d'introversion, ne lui donnez pas l'occasion de vous répondre sur-le-champ. Faites votre proposition, puis détalez en lançant: «On en parle après, hein?» Retrouvez l'individu en question quelques heures plus tard, et relancez votre idée: vous serez peut-être étonné par l'ouverture d'esprit dont il fera alors preuve.

Tout cela peut s'énoncer sous forme de théorème (rappelons que celui-ci a été formulé par une analyste du comportement spécialisée dans les types psychologiques):

A. Les introvertis pensent avant de parler. (Cela signifie que nous préférons examiner une question sous tous ses angles avant de nous prononcer.)

B. Si on ne laisse pas à la personne introvertie le temps de préparer une réponse réfléchie, elle dira habituellement «non».

C. Si on se présente à l'improviste devant un introverti, si on lui expose une idée et si, sans plus attendre, on lui lance: «Alors, qu'est-ce que t'en penses? T'es d'accord?», il est plus que probable qu'on obtiendra une réponse négative.

Une chose en entraînant une autre, on dira alors de l'introverti qu'il est négatif.

Si A = B et B = C, alors A = C.

Il ne sert à rien de vous énerver ou de vous sentir visé. Pensez plutôt à des façons de réagir à cette information. De nombreuses possibilités se présentent à cet égard.

1. Anticipez et bloquez le « non » que vous risquez de laisser échapper. Dites plutôt que vous allez considérer la proposition et en reparler à la personne qui l'a faite.

2. Demandez qu'on vous présente des idées sous forme écrite, dans la mesure du possible. Vous aurez alors le temps d'y penser attentivement, ce qui vous permettra de préparer une réponse réfléchie.

3. Si on vous presse, prenez un moment avant de formuler votre réponse. Réfléchissez. Un bref silence ne choque pas, et chacun aime obtenir une réponse judicieuse.

 ## Assimiler

Fréquentez des endroits où vous êtes à l'aise. Certains cadres conviennent mieux à l'introverti que d'autres, notamment ceux qui lui permettent de se détendre après une journée mouvementée. Il aura alors l'impression d'être dans son habitat naturel, ce qui ne serait pas le cas s'il se retrouvait à un cocktail. Les endroits paisibles attirent une foule d'introvertis. Cela présente, bien sûr, des avantages. Examinons trois cadres agréables en gardant pour la fin celui qui offre le plus de possibilités de réseautage.

LA TRANQUILLITÉ

Il m'arrive de prendre un train rapide qui lie Washington D.C. à des localités situées à l'est de la ville. Un des wagons de ce train particulier porte le nom de « wagon tranquille ». Peu après l'embarquement des passagers, le chef de train annonce : « Si vous devez absolument converser, veuillez le faire en silence. » Il s'amuse sans doute à formuler ainsi cette règle, mais elle me convient parfaitement. J'adore être entourée d'introvertis (mes semblables, mes frères !). Je n'ai pas à endurer le bavardage insignifiant que favorise le cellulaire, ni les «ding» des jeux vidéo, ni d'intarissables conversations sur les affaires. J'ai même pensé qu'on pourrait mettre une affiche proclamant: «Ce wagon est réservé aux introvertis. Merci de céder votre place.» Dans le wagon tranquille, on est vraiment enveloppé de silence. Il serait tout à fait déplacé d'engager une conversation dans un tel cadre. Cela dit, si vous êtes un habitué des lieux, il ne serait pas étonnant que vous y rencontriez une âme sœur...

Une petite mise en garde s'impose ici. Un extraverti serait malavisé de s'installer dans le wagon tranquille et de papoter. J'ai eu l'occasion de constater que cela irrite terriblement les introvertis, qui risquent même de régler le problème de façon... disons, musclée.

LE SILENCE EST D'OR

Au cours des dernières années, nombre de bibliothèques publiques ont été rénovées avec art. Certains de ces édifices mettent à la disposition du public des «salles sourdes». Dans de tels endroits, il est interdit de parler à voix haute, ou de se servir d'un cellulaire ou d'un autre gadget électronique (sauf en mode «silence»). Pour un introverti, ce sont là des havres de paix. Pour rendre ces salles encore plus tranquilles, on les situe habituellement près d'un mur extérieur, de sorte qu'elles sont parfois percées de fenêtres offrant de belles vues sur les environs. Puisqu'elles ne font pas l'objet d'une surveillance constante, on y entend d'occasionnels chuchotements. Vous n'aurez pas un sou à payer pour fréquenter de tels endroits – qui sont habituellement ouverts du matin jusqu'au soir.

J'ai souvent mené les recherches nécessaires à l'écriture de ce livre dans une salle sourde. J'ai apprécié cette expérience, qui m'a amenée à croiser des gens de toutes sortes et de différentes origines. Comme moi, tous étaient séduits par la tranquillité des lieux. Après quelque temps, nous avons commencé à nous saluer chaleureusement, quoique silencieusement (un truc que seuls les introvertis maîtrisent), avant que chacun s'occupe de ses propres affaires. Bien sûr, en se rendant à la salle sourde ou en la quittant, les habitués des lieux peuvent engager des conversations sur leur travail ou sur leurs recherches; ils disposent donc d'occasions de réseauter.

LES COURS

Pour les introvertis qui cherchent à développer leurs réseaux, les cours constituent un excellent choix : ils remplissent un des critères mentionnés précédemment : permettre aux participants d'avoir un rôle clairement défini. Par ailleurs, l'éducation est en soi une activité valorisante et stimulante. Vous pouvez dénicher des cours sur presque n'importe quel sujet. Et vous y rencontrerez des personnes partageant avec vous au moins un centre d'intérêt. Vous pouvez choisir d'étudier un sujet relatif à votre domaine professionnel ou à un domaine connexe ; ou encore, opter pour quelque chose qui n'a aucun rapport avec votre travail. Alors que je faisais mes études de MBA, j'ai suivi un cours de poterie afin de me libérer du stress que je subissais à l'université. C'était là une erreur, car j'ai découvert que le façonnage au tour était au moins aussi difficile à maîtriser que la microéconomie. Cependant, mon initiative n'a pas été entièrement vaine : j'ai établi une relation durable avec le seul autre étudiant de MBA qui assistait aux cours.

« Suivre son propre rythme

On fait des milliers de choix chaque jour. C'est là une approximation, bien sûr. Essayez de faire le compte des choix que vous effectuez en une seule journée – y compris ceux qui sont inconscients – et envoyez-moi un courriel pour me dire ce que vous pensez de mes aptitudes pour la statistique. Comme ça, nous n'aurons pas à nous parler de vive voix.

Qui sait réseauter sait remplacer ses choix habituels, souvent inconscients, par des choix révisés et améliorés.

Le tempérament est lié aux préférences naturelles et au style, mais non à l'aptitude et au potentiel. Si vous pensez avant de parler, adoptez la stratégie consistant à vous préparer à des occasions de réseautage. Profitez de votre nature plutôt que de la renier ou de n'en tenir aucun compte.

Voici des choix que je recommande. Mais faites comme bon vous semble : ajoutez, modifiez, supprimez...

1. **Acceptez-vous tel que vous êtes.**

   Vous disposez déjà de toutes les ressources intérieures qu'il vous faut pour devenir un as du réseautage. Mais vous devez vous réserver du temps qui ne sera *pas* consacré à cette activité. Vous serez infiniment plus productif durant les périodes que vous consacrerez effectivement au réseautage.

2. **Acceptez votre réalité.**

   Acceptez d'être là où vous êtes et en compagnie de la personne qui se trouve avec vous. Pourquoi vous y opposeriez-vous? Vous êtes avec la personne qui était censée être à vos côtés à ce moment précis. Comment le savez-vous? Quelle preuve en avez-vous? Eh bien, le fait que vous vous trouviez justement avec elle! Vous pouvez vous morfondre – ou arborer votre sourire le plus charmant pendant que vous essayez de découvrir pourquoi vous êtes censé lui parler à cet instant précis. Quel rôle joue cette rencontre dans votre vie? Est-il mineur? Majeur?

3. **Si vous échouez, faites du recadrage.**

   Vos échecs produisent des *résultats* qui vous permettent de vous améliorer. Ces derniers sont les moyens d'arriver à vos fins – les moyens de mesurer votre progrès et de modifier votre comportement de façon à atteindre les objectifs que vous vous êtes fixés.

Les introvertis dotés d'un esprit indépendant ne se soucient pas particulièrement de ce que les autres pensent. Les introvertis ne manquent pas d'assurance. Leur comportement est, tout simplement, le plus souvent déterminé par des motivations intérieures.

Contrairement à ce qu'on peut croire, un introverti a autant de chances qu'un extraverti d'être plein d'entrain, exubérant ou vif. Il arrive qu'un introverti camoufle de telles caractéristiques; son masque ne tombe que lorsqu'il est à l'aise. Avant de découvrir le cœur d'un artichaut, il faut enlever pas mal de feuilles (je me suis dit que cette analogie était plus appropriée que celle de l'oignon, étant donné que l'oignon sent plutôt mauvais et que, on a beau l'éplucher, on ne découvre jamais rien de très excitant. Allez, appuyez-moi un peu, quand même!)

Les extravertis sont souvent agréablement surpris par ce qu'ils découvrent sous les nombreuses couches protectrices d'un collègue introverti. « Mince! c'est qu'il est vraiment intéressant! » Voilà ce qu'ils se disent souvent à la suite d'une séance de ressourcement productive ou de toute autre activité réussie visant à améliorer les relations profes-sionnelles. Avec de la patience et du doigté, on réussit habituellement à provoquer l'épanouissement – tardif – de l'introverti le plus fermé. Ce dont on profitera grandement.

Les promotions et vous

Il m'est arrivé de conseiller un des vice-présidents d'une entreprise active dans le domaine du développement international. Cet homme avait toujours eu du succès mais, depuis un certain temps, il ne semblait plus capable d'avancer dans sa carrière. Après quelques séances, nous avons tenté de déterminer ce qui avait causé ce plafonne-ment. Il m'a confié qu'il n'était pas très habile quand il lui fallait se mettre en avant ou vanter ses réalisations. Pourtant, tant ses collègues que les per-sonnes relevant directement de lui ne tarissaient pas d'éloges à son sujet – à tel point qu'il était presque impossible de cibler des domaines où il aurait pu faire des progrès. C'en était quasiment enrageant !

Malgré cela, quand une occasion d'obtenir de l'avancement se présentait, il était systématiquement oublié. Nous avons découvert qu'il se sentait peu compétent dans le domaine de la politique organisationnelle. De plus, il soupçonnait – avec juste raison – que la haute direction n'était pas au fait de ses succès et ne connaissait pas ses points forts.

Quand j'ai fait passer une évaluation à ce monsieur, il s'est avéré qu'il était fortement introverti. Cela ne m'a guère surprise, car il avait la plupart des traits associés à ce type. Il formait des coalitions fortes, inébranlables, avec les collègues à qui il accordait sa confiance. Il lui fallait néanmoins apprendre à se faire valoir auprès de hauts dirigeants. Comme il œuvrait dans une entreprise internationale, il n'avait pas l'occasion de rencontrer de telles per-sonnes en tête-à-tête. Il a donc commencé à leur envoyer des rapports de progrès tous les six mois, rapports qu'il produisait sous forme de listes de moins d'une page.

À l'assemblée annuelle suivante de l'entreprise, il s'est résolu à se présenter aux individus les plus importants de sa liste d'envoi. Il a aussi fait parvenir des notes de remerciements à chacune des personnes rencontrées, et il s'est enquis des occasions que l'entreprise pouvait offrir.

Il a obtenu une promotion un an plus tard.

SOYEZ COOL

Pour peu que l'occasion s'y prête, n'hésitez pas à avoir de petits gestes attentionnés. Cela ne vous demandera presque pas de temps, et les frais engagés seront minimes. De telles attentions ont plus de valeur que le verbiage de l'extraverti, car les actes sont plus éloquents que la parole. Vous montrerez que vous êtes vraiment cool et prévenant, et que vous vous concentrez sur les autres plutôt que sur vous.

En prodiguant de l'attention à autrui, vous vous distinguerez des autres, et cette distinction vous sera entièrement favorable. Voici quelques suggestions à cet égard. Elles seront particulièrement utiles aux introvertis, car elles supposent qu'on parle peu, mais qu'on puisse lier la conversation si on le désire. Ces exemples s'appliquent en premier lieu aux activités de réseautage, mais peuvent être adaptés à d'autres situations.

- Si vous faites la queue devant le buffet, offrez une assiette à la personne qui attend derrière vous.

- Avant d'aller vous chercher un verre ou une bouchée, demandez aux personnes qui vous entourent si elles aimeraient que vous leur rapportiez quelque chose par la même occasion.

- Faites des compliments sur des articles inusités (les lunettes, la cravate, les bijoux, etc.) que vos interlocuteurs portent.

- Posez une question aimable sur un nom ou un titre de poste intéressants.

- Offrez de faire parvenir à votre vis-à-vis d'autres informations qui pourraient l'intéresser.

- Soulignez les qualités distinctives de votre interlocuteur (son sourire éclatant, sa chaleur, son énergie positive) par un compliment.

- Posez des questions portant sur les réalisations de votre vis-à-vis (ses diplômes, ses publications, la façon dont il concilie le travail et la famille).

- Offrez votre assistance (pour ce qui est des porte-noms, des réservations, des préparatifs, etc.).

- Respectez les préférences d'autrui (par exemple, se tenir debout ou s'asseoir, à l'intérieur ou à l'extérieur).

- Faites-vous un devoir de présenter l'une à l'autre les personnes qui vous semblent susceptibles de s'entendre.

- ☺ Offrez de partager avec d'autres les informations qu'on vous fournit dans la mesure où cela peut être utile à vos interlocuteurs.

- ☺ Accédez aux désirs de la majorité (concernant les préférences relatives au lieu et à l'heure d'un dîner, par exemple).

- ☺ Offrez votre assistance au moment de clôturer les activités.

- ☺ Réagissez promptement quand les autres ont besoin d'aide (quand ils font des dégâts, quand ils laissent tomber des articles, quand ils doivent porter des assiettes, etc.).

- ☺ Soyez respectueux (cédez votre place, ne fumez pas, retirez-vous si besoin est).

- ☺ Faites bonne contenance face aux imprévus.

- ☺ Si vous offrez ou promettez de faire quelque chose, faites-le!

Mise en garde à l'intention de l'introverti	Mise en garde à l'intention de l'extraverti
Si vous souhaitez dîner en tête-à-tête avec un extraverti, assurez-vous d'exprimer clairement votre désir, sinon il est tout à fait possible que, sur un coup de tête, l'extraverti invite une troisième personne à se joindre à vous.	Le silence de l'introverti n'exprime pas forcément le désaccord ou le refus. Il est fort possible que votre interlocuteur soit tout simplement en train de réfléchir.
Si vous devez respecter une échéance, évitez de demander quelque chose à un extraverti, à moins que ce soit indispensable. Même une question très simple peut susciter un flot de paroles. Je vous aurai prévenu!	Si votre vis-à-vis garde le silence, ne vous demandez pas: «C'est quoi, son problème?» Il se peut que vous ayez affaire à un introverti et qu'il soit absorbé dans ses pensées. Autre possibilité: il n'a simplement rien à dire pour l'instant.
Il se peut qu'un de vos collègues ait l'habitude de défendre fermement telle opinion un jour, pour la désavouer dès le lendemain. Plutôt que de le considérer comme une girouette, dites-vous que ce comportement reflète son besoin de parler pour se forger une opinion.	Pourquoi votre collègue introverti s'entête-t-il dans ses opinions? Parce que, avant de communiquer une idée, l'introverti y aura réfléchi et adhéré. Il sera donc plus difficile pour lui de renverser sa position. Donnez-lui le temps de reconsidérer les choses avant de lui demander une réponse.

DES MOMENTS MUSICAUX POUR INTROVERTIS

Voici un exemple tiré de mon propre passé. Pendant que j'étais aux études, j'ai travaillé comme disque-jockey pour la radio étudiante de mon université. C'est même la première activité parascolaire à laquelle j'ai participé. Étant donné que j'adore la musique, je m'étais dit que cette occupation me permettrait d'atténuer le stress que me causaient mes études. Vous vous imaginez peut être que seuls des extravertis voudraient être D.J. Eh bien, vous vous trompez! Et c'est sans doute parce que vous n'avez jamais mis les pieds dans un studio de radiodiffusion universitaire.

On s'y assoit tout seul et on choisit de la musique pendant deux à quatre heures. On sait bien qu'il y a des gens qui l'écoutent ; ou plutôt, on en est vaguement conscient. Mais, pour l'essentiel, on reste dans sa petite bulle (musicale) durant des heures. Alors que les chansons passent, on a amplement le temps de préparer ce qu'on dira en ondes au moment voulu – et il ne s'agira alors que de parler à un micro. Pour l'introvertie que j'étais et qui puisait une partie de son énergie dans la musique, cet environnement constituait un havre de paix. Même si, en arrivant au studio, je portais le poids du monde sur mes épaules – ou, du moins, le poids de la bibliothèque universitaire –, j'étais toujours revitalisée quand je partais.

Fort de son expérience à la radio, le D.J. universitaire peut désirer passer à l'étape suivante : l'animation de soirées organisées par les associations étudiantes du lieu. C'est là une progression naturelle. Mais n'est-ce pas forcer la note, surtout si on est un introverti qui se veut équilibré? Ces soirées frénétiques pullulent d'extravertis, non? Eh bien, si! C'est pourquoi je ne m'y suis jamais présentée, sauf à titre de D.J. Les D.J. sont habituellement au cœur de la fête, mais d'autres considérations entrent en jeu. Ils ont un rôle précis, et on leur aménage un endroit où travailler... seuls. Ils ne sont pas tenus de bavarder avec les invités ni même de leur adresser la parole. De toute façon, ils portent un casque d'écoute la plupart du temps. Si on leur demande de choisir telle musique, la requête leur est habituellement acheminée sous forme écrite.

En somme, les D.J. profitent d'une solitude agréable durant la fête. Outre le fait de sélectionner les morceaux qui leur plaisent, ils peuvent s'amuser à regarder les gens. Et, chose particulièrement remarquable pour des étudiants, ils sont payés pour ça. À l'université, difficile de dénicher un boulot plus gratifiant! Ils peuvent boire autant qu'ils veulent sans payer. Et, pendant des années et des années, ils pourront se servir de cette expérience pour engager la conversation. Ça marche à tous coups.

Il est intéressant de contraster le rôle que remplit le D.J. avec d'autres boulots essentiels à une fête, comme celui de barman. Ce dernier se voit également assigner des tâches précises, mais on s'attend à ce qu'il bavarde constamment avec les gens; dans son cas, donc, pas question de s'isoler. Vous voyez la différence?

Animer une soirée en qualité de D.J., voilà quelque chose qui figure rarement en tête de liste des activités agréant aux introvertis. Pourtant, pour moi, ce travail avait beaucoup d'aspects plaisants: des fonctions clairement définies, ainsi que la possibilité de rendre des gens heureux grâce à une musique fantastique.

Conclusion pour tous les introvertis: lorsque vous explorez les possibilités susceptibles de vous convenir, n'hésitez pas à sortir des sentiers battus.

Chapitre 9

Chercher un emploi

C'est tellement simple d'être intelligent !
Trouvez quelque chose de stupide à dire, et ne le dites pas.

— Sam Levenson

Vous passez à *Caméra cachée*

Quelle émission géniale! Je ne regarde pas beaucoup la télé, mais j'aimerais beaucoup qu'on rediffuse celle-là. C'était la première forme de téléréalité. Et voici pourquoi j'en parle: dans la vie quotidienne, vous passez *vraiment* à *Caméra cachée*. Je ne tiens pas à provoquer chez vous la folie des grandeurs ni à vous convaincre que Big Brother vous a à l'œil, mais George Orwell était sur une piste intéressante... On observe votre comportement plus souvent que vous ne le pensez.

Rappelez-vous une occasion où vous avez regardé un inconnu pendant quelques instants, avant de porter sur lui un jugement de valeur. Cela a pu se produire dans un aéroport ou dans un ascenseur. Peut-être s'agissait-il d'une personne utilisant son cellulaire... Quoi qu'il en soit, le mécanisme reste le même.

Vous voyez une personne agir. Votre monologue intérieur passe à la vitesse supérieure, et vous vous faites une idée d'elle en moins de temps qu'il n'en faut pour franchir un contrôle de sûreté à l'aéroport.

En raison du fonctionnement de notre cerveau, nous sommes prédisposés à classer les choses par catégorie. En conséquence, quand nous observons des inconnus ou des gens que nous connaissons à peine, nous recueillons des données et nous tirons aussitôt des conclusions du genre: «Hum! elle prend beaucoup de notes; c'est sans doute une petite futée.» Ou: «Il laisse échapper plein de documents de sa serviette; qu'est-ce qu'il doit être désorganisé!» Ou encore: «Elle parle trop fort au téléphone; elle manque de respect aux gens.» Ou: «Tiens, il se mire dans la vitrine – ce doit être un vaniteux!»

J'ai quelque chose à vous apprendre: vous n'êtes pas le seul être au monde à porter des jugements expéditifs sur les autres.

Cette information vous sera particulièrement utile si vous passez des entrevues pour obtenir un emploi. Dans de telles circonstances, il faut faire bonne figure. Ceux qui dirigent leur attention vers le monde intérieur accordent généralement moins d'importance à leur apparence que les extravertis moyens. Certains introvertis se disent même indifférents à la question, qu'ils jugent superficielle. Malheureusement, cela peut mener à un certain laisser-aller sur le plan de la tenue.

Puisque vous tenez ce livre en main, vous faites désormais partie de ma clientèle (je vous ai offert un prix d'ami, soit dit en passant). Voici ce que je conseille à mes clients: faites la différence entre ce que vous pouvez contrôler et ce sur quoi vous n'avez aucune emprise. Efforcez-vous de projeter une bonne image – la meilleure image possible. Et soyez tolérant quand c'est vous qui observez les autres.

TOUT LE MONDE SOURIT !

La technique de réseautage la plus efficace et la plus polyvalente est… le sourire.

Je vois le lecteur sceptique entrer en scène : « Et pourquoi donc le sourire serait-il ma meilleure arme ? »

Permettez-moi de m'expliquer sur ce point.

1. Le sourire est un signe non verbal. Traduction : **on n'a pas besoin de parler.** Youpi !

2. Si on a donné l'impression d'être distant (ce qui constitue un impair en matière de réseautage), on peut se rattraper en souriant.

3. On ne peut vraiment pas se tromper quand on sourit. Les personnes souriantes donnent l'impression d'être sûres d'elles.

4. En arborant un sourire, on invite les gens à venir nous parler.

5. Le sourire rend heureux. Cela a été confirmé au moyen d'expériences scientifiques. L'émotion suit l'action ; je m'explique.

Dans son brillant ouvrage *Intuition : comment réfléchir sans y penser*[3], Malcolm Gladwell présente des études scientifiques montrant que « l'émotion peut commencer par naître sur le visage ». C'est le sourire qui provoque la bonne humeur, et non l'inverse.

Vous vous dites peut-être :

☺ « Je ne suis pas du genre à sourire à tout bout de champ. »

☺ « Je ne peux pas sourire si je n'en ai pas envie. »

Merci d'avoir été franc avec moi. Je comprends. Cela dit, j'ai pu constater que le sourire que j'affiche volontairement en entrant dans une salle m'est plus rentable et me coûte moins cher que tout autre accessoire susceptible d'égayer ma toilette.

Pensez à quelque chose d'amusant, et faites travailler vos muscles zygomatiques. Exécution !

---

3. Montréal, Les Éditions Transcontinental, 2005, 254 pages.

Les râleurs ne réussissent jamais.

Introvertis s'abstenir

Un de mes clients m'a raconté que, pendant une entrevue d'embauche, l'intervieweuse lui a demandé ceci : «Êtes-vous un introverti ou un extraverti?» Avant même que mon client puisse esquisser une réponse, elle lui a confié, de façon quelque peu prévisible : «Moi, je suis extravertie !» Par diverses signes, verbaux ou non, elle lui a fait comprendre qu'elle cherchait à engager une âme sœur. Elle lui a également fait comprendre (sans grande subtilité) que, à son avis, les traits typiques de l'extraversion permettraient à leur détenteur de s'acquitter des responsabilités associées au poste : la gestion, la vente et la formation.

Mon client s'est mis à réfléchir à toute vitesse. Il tenait à décrocher cet emploi. Il savait qu'il était fortement introverti. Il savait qu'il lui fallait penser avant de parler, mais le temps pressait. Il a regardé l'intervieweuse dans les yeux et lui a souri. «Je suis un introverti très sûr de lui», a-t-il lancé. Cette réponse avait pour but de réfuter la croyance répandue qui veut que les introvertis manquent d'assurance, aient des résultats médiocres dans certains domaines et ne soient guère sociables.

Malheureusement, certaines personnes n'ont pas encore lu ce livre et n'ont donc qu'une vague idée des vraies distinctions entre l'introversion et l'extraversion.

Cela vaut même pour les professionnels les plus intelligents : ils ne saisissent pas la différence, pourtant fondamentale, entre préférence et capacité. Imaginez que vous soyez justement en présence de quelqu'un qui a de tels préjugés. Vous pourriez profiter de son ignorance flagrante pour faire l'apologie de l'introversion. Mais ne vous énervez pas. Ne cherchez pas la bagarre. N'appelez pas votre avocat. Sur un ton amical, détaillez simplement les caractéristiques réelles du tempérament introverti.

Par vos actions et par vos paroles, faites comprendre à l'intervieweur en question qu'il commettrait une erreur s'il ne retenait pas vos services. Un candidat de votre trempe constitue une belle prise pour un recruteur !

Êtes-vous vraiment isolé?

On a donné le nom de «réseautage social» à certaines communications et relations établies sur Internet. Voilà une désignation quelque peu incongrue, car communiquer en vrac avec une multitude de gens séparés par de grandes distances géographiques ou par divers autres facteurs n'a rien de particulièrement social, au sens propre du terme.

Les réactions que les gens manifestent devant des outils ou des applications servant au réseautage social (tels que LinkedIn, Facebook ou Twitter) varient en fonction de leur tempérament. Beaucoup d'extravertis sont tout excités à l'idée de pouvoir faire croître leurs réseaux à une vitesse exponentielle. À l'inverse, nombre d'introvertis considèrent le réseautage en ligne comme quelque chose d'agaçant, mais de plus en plus incontournable, qu'il leur faut ajouter à leur liste de «choses à faire».

Je connais de grands extravertis qui se targuent d'avoir franchi la barre des 500 relations (virtuelles) et plus, et des introvertis performants et intelligents qui peuvent mettre jusqu'à cinq ans à s'intéresser à une quelconque évolution du réseautage social, quitte à donner l'impression d'être en retard sur leur temps.

On dit des gens qui ont un nombre extraordinaire de relations – généralement virtuelles – qu'ils sont de «super-connecteurs». Dans ce domaine, ce sont les extravertis qui s'imposent. Ces derniers expriment leur talent pour le réseautage en accumulant un nombre incroyable de relations, en s'immergeant, le cas échéant, dans divers milieux d'affaires, et en développant sans cesse les réseaux professionnels qu'ils établissent sur Internet.

En quête d'authenticité, les introvertis, eux, établissent des relations moins nombreuses, mais plus solides et plus profondes. Ils auront beau être en rapport avec des centaines de gens, ils ne les qualifieront pas tous d'amis. Voilà un terme qu'ils emploient parcimonieusement, pour désigner quelques privilégiés. Il leur est également plus difficile d'entretenir des relations, et ce, pour deux raisons. D'une part, ils investissent beaucoup d'énergie dans leurs rapports avec les autres, quels qu'ils soient. D'autre part, ils définissent ces rapports de façon différente des extravertis – ils mettent l'accent sur la profondeur et la personnalisation, donc ils déploient plus d'effort. À titre d'exemple, les introvertis font rarement des envois massifs de cartes de vœux génériques. Ils sont plutôt portés à rédiger leurs propres cartes et à les distribuer de façon ciblée.

Que le véritable « super-connecteur » lève la main, s'il vous plaît. Êtes-vous quelqu'un qui ne compte plus ses amis virtuels (puisqu'il vous suffit de cliquer sur le bouton « Envoyer » pour enrichir votre collection) ? Ou quelqu'un qui entretient depuis longtemps des relations avec des dizaines de collègues, relations cimentées par la confiance, la complicité et les expériences communes ?

Avant de répondre, on pourrait commencer par déconstruire le terme « super-connecteur ». Ce « super » se rapporte-t-il invariablement à la quantité ? Ce mot ne peut-il pas désigner ce qui est exceptionnellement bien fait ?

Juste avant de passer à la définition, il faut garder à l'esprit que, en privilégiant la quantité de relations qu'on a, on en amoindrit inéluctablement la profondeur – à moins de consacrer un temps infini au réseautage.

Super-
Préfixe de renforcement, marquant le plus haut degré
ou la supériorité [...].
– *Le Petit Robert*

Les questions posées plus haut admettent en fait plus d'une réponse. Le mot *super* peut se rapporter à la quantité ou à la qualité. C'est donc à vous de juger si une relation est « super » quand elle est profonde.

Au fond, dire que vous avez peu de relations (ou dire la même chose d'autrui) revient à faire un choix lexical. Opter pour la qualité et la complicité, ce n'est pas si mal. Je vous accorde la permission de qualifier votre réseau de « super », même s'il est petit. Ce qui compte, c'est sa solidité.

 ## Prendre le temps de réfléchir

On a consacré d'innombrables études au phénomène des premières impressions. On s'est aussi intéressé au temps qu'il fallait pour corriger les impressions et aux moyens d'y parvenir. On est arrivé à diverses conclusions : certains pensent que huit rencontres (après la première) suffisent. D'autres estiment qu'il est « presque impossible » ou « impossible » de modifier une première impression. La réponse définitive se situe donc entre huit et l'infini.

À l'école de commerce, on nous disait que le nombre juste était 200 rencontres – il faut environ 200 fois plus d'informations pour corriger une première impression que pour la produire. C'est là un nombre plutôt élevé, au cas où vous ne l'auriez pas remarqué. Acceptons cette hypothèse pour le moment. Il suffit, donc, de quelques instants pour que je vous laisse une impression générale, mais durable, de ma personne. Si vous décidez que je suis impolie ou hésitante ou paresseuse, il faudra que je fasse 200 fois plus d'efforts pour vous faire changer d'avis qu'il ne m'en a fallu déployer pour faire naître cette image. Veillez donc à faire bonne impression quand vous rencontrez quelqu'un pour la première fois.

Une note sucrée

À certains séminaires consacrés au réseautage, je commence par demander à chaque personne présente de se joindre à un autre participant qu'elle ne connaît pas ou, mieux, qu'elle n'a jamais vu auparavant. Munis de stylos et de papier, les participants se regroupent deux par deux, attendant mes instructions avant de lier la conversation.

J'explique aux couples qui se sont formés qu'ils ont 60 secondes en tout pour se parler de leurs desserts préférés. *Go!* Après 30 secondes, je demande à chacun de céder la parole à son partenaire. Puis je mets fin au dialogue et j'invite les gens à décrire leur interlocuteur en trois mots ou expressions, en se basant sur leur très brève conversation. Je leur demande de noter la première chose qui leur vient à l'esprit, de se fier à leur intuition. Je leur montre une liste de termes descriptifs (curieux, spontané, décidé, courageux, concis, etc.), mais ils peuvent choisir tout terme qui leur passe par la tête. (Ce procédé peut être utilisé avec des groupes de 10 à 500 personnes, voire plus.) Puis je leur demande de communiquer à leur partenaire du moment les mots qu'ils ont retenus pour le décrire. Chacun doit alors fournir une rétroaction à l'autre – lui faire savoir s'il a vu juste ou non.

Après cette étape, j'invite les participants à lever la main s'ils jugent que leur partenaire les a décrits relativement bien. Presque tous lèvent la main.

Une note sucrée (suite)

Une chose est remarquable : des dizaines de milliers de gens à qui on a demandé de faire cet exercice dans le cadre de programmes que j'ai élaborés – des individus de tous les horizons, occupant différents postes dans divers domaines –, pas un seul n'a refusé de décrire en trois mots un inconnu lui ayant parlé pendant 30 secondes de son dessert préféré. Pas un seul. Tous ont offert une courte description de leur partenaire, même s'ils ne disposaient que de très peu de données à son sujet. Et tous, ou presque, ont jugé la description valable. Cela en dit long sur la façon dont on se forge une opinion à propos d'autrui – et sur la justesse de celle-ci.

1. En matière de premières impressions, les gens se font une opinion à une vitesse foudroyante.

2. Ils ont souvent raison.

3. Nous voulons avoir raison – et nous nous battons pour nous en assurer.

4. Il nous faut contrôler ce qui est contrôlable et gérer ce qui ne l'est pas.

Nous remarquons les indices qui nous aident à classer les styles de comportements ou qui nous permettent de passer du particulier au général. Supposons qu'un participant ait dit à son partenaire : «Comment choisir? Il y a tellement de desserts délicieux!» Nous estimerons qu'il n'est pas particulièrement doué pour prendre des décisions. Si quelqu'un se met à décrire par le menu le glaçage d'un petit-four, nous jugeons qu'il est méticuleux. Si quelqu'un d'autre se met à larmoyer en évoquant la tarte aux pommes que lui préparait sa grand-mère, nous pensons que nous avons affaire à une personne sentimentale – ou à un individu qui voue un culte aux tartes.

Il se dégage un consensus de l'exercice que je viens de décrire : les premières impressions se forment rapidement, même en l'absence de conversation. Les discussions sur les desserts ne seraient que... la cerise sur le gâteau.

L'*effet de halo* est le nom attribué au phénomène inverse. Si *une* chose me plaît chez vous – votre sourire chaleureux, par exemple –, mon inconscient se saisit de cette information et l'amplifie. Je décide que *tout* me plaît chez vous : vous voilà entouré d'un halo de perfection. Je conclus que vous êtes brillant, doté d'un esprit d'équipe, gentil, attentionné, amusant et motivé.

Bref, laisser une première impression favorable, c'est très payant!

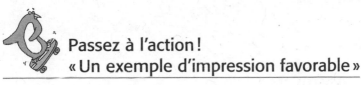

Passez à l'action!
« Un exemple d'impression favorable »

Pensez à quelqu'un qui vous a laissé une impression favorable et durable à l'occasion de votre première rencontre. Cela a pu se passer hier ou il y a des lustres, dans un contexte personnel ou professionnel. Peu importe, c'est l'exemple qui compte. En règle générale, la première personne à qui vous pensez constituera le meilleur exemple. Restez fidèle à votre premier choix.

Cette personne m'a laissé une première impression favorable et durable : _____ .
(Si le nom est trop long, abrégez-le. On n'a pas de temps à perdre.)

Quels traits ou quelles qualités cette personne manifestait-elle?

1. _____

2. _____

3. _____

4. _____

5. _____

Sur lesquels pourriez-vous prendre exemple (en les adaptant à vous) quand vous rencontrez des gens?

1. _____

2. _____

3. _____

Certaines caractéristiques admirables sont difficiles à imiter, comme le fait de parler couramment quatre langues. D'autres sont plus faciles à intégrer dans son répertoire comportemental, comme le fait de se concentrer sur ses interlocuteurs quand on participe à une conversation. Encerclez les caractéristiques que vous voudriez acquérir à partir d'aujourd'hui.

Assimiler

Il y a un aspect des entretiens d'embauche qui décourage singulièrement les introvertis et les centrovertis : la nécessité de se mettre en avant.

Pas de problème.

Vous n'avez qu'à vous appuyer sur vos points forts. Prenez un stylo, puis rédigez une très brève « publicité » à votre sujet. Enfin, exercez-vous à la prononcer. Une fois ce discours passe-partout mémorisé, il sera toujours prêt à servir.

Il vous est peut-être arrivé d'assister à une activité de réseautage tous azimuts où chaque participant devait prendre le micro pendant 30 secondes pour se présenter. Certaines personnes blêmissent à l'idée de subir pareille épreuve. Toutefois, une telle introduction a de bons côtés.

Que diriez-vous dans de telles circonstances ? Et dans des situations plus courantes, par exemple, quand on vous demande de parler un peu de vous ? Vous êtes-vous préparé à une telle éventualité ? Si la réponse est non, il vous est interdit de lire la suite tant que vous n'aurez pas fait cet exercice. Vous me remercierez plus tard.

Mais permettez-moi d'abord d'attirer votre attention sur l'utilité d'un tel discours, surtout s'il est débité en moins de 30 secondes. C'est ce que j'appelle un « baratin d'ascenseur », pour une raison qui vous sera communiquée sous peu.

Mes clients me font régulièrement part des résultats renversants qu'ils obtiennent en perfectionnant ce type de discours. Vous avez peut-être entendu des gens parler 60 secondes au lieu de 30. Sachez qu'une telle volubilité est inacceptable. Moins, c'est plus. Il est plus difficile, mais plus payant, de s'exprimer brièvement que de discourir. Vous savez que c'est vrai, car vous avez déjà subi des discours interminables...

La plupart des gens ne se donnent pas la peine de rédiger une publicité à leur sujet. Voilà une attitude complètement irresponsable, pour ne pas dire stupide et bornée. Mais ces épithètes ne s'appliquent sûrement pas à vous !

Le terme *baratin d'ascenseur* dérive du scénario hypothétique que voici: vous vous trouvez dans un ascenseur avec une personne influente. À votre étonnement, elle se tourne vers vous et vous dit: «Parlez-moi un peu de vous.» C'est la première (et peut-être la dernière) fois qu'elle vous consacre toute son attention. Qu'arrive-t-il?

Diverses personnes m'ont raconté avoir vécu des expériences similaires à la situation que je viens de décrire. Par exemple, un cadre supérieur à l'emploi du gouvernement américain a relaté l'anecdote suivante à quelques étoiles montantes de son milieu. Trente ans plus tôt, il s'était trouvé dans un ascenseur à côté de son chef de service. Il s'était soigneusement préparé à une telle occasion, même si elle ne pouvait se présenter que de façon fortuite. À la suite d'une brève discussion, le «supérieur d'ascenseur» est devenu le mentor de ce cadre, et l'a épaulé et orienté dans sa carrière.

Intéressant, non?

Un tel «discours» bien conçu doit être succinct et adaptable, de sorte qu'il puisse servir dans diverses situations. Je suis ici pour vous aider.

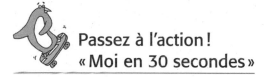

Passez à l'action!
«Moi en 30 secondes»

Prenez un stylo et un bloc-notes, et cogitez. Allons-y.

Quel résultat voulez-vous atteindre au moyen de votre baratin d'ascenseur? Il s'agit là d'une question essentielle: selon l'objectif visé, vous mettrez l'accent sur divers points.

Il est possible de rédiger plusieurs versions de ce discours, chacune convenant à une situation, à un interlocuteur ou à un objectif donnés. Nous employons ici le terme *discours* de façon un peu abusive, puisque vous ne parlerez pas plus de 30 secondes et que vous le ferez sans cérémonie (contrairement à certains orateurs). Il est utile d'en fixer les grandes lignes, tout en vous assurant que vos paroles seront adaptées aux circonstances.

Dans quelles situations est-il le plus probable que vous utilisiez ce discours ? Au travail ? Durant des activés de réseautage, des voyages d'affaires, des entrevues ? Dans un contexte éducationnel ? Pendant que vous faites de la sollicitation à froid ? Ajustez-le en conséquence.

Situation la plus vraisemblable : _____

_____

Autre situation vraisemblable : _____

_____

Comment utiliserez-vous ce discours ? Pour décrocher un emploi, faire croître votre entreprise, trouver un mentor, bâtir un réseau professionnel, trouver des collaborateurs ?

Utilisation principale : _____

_____

Utilisation secondaire : _____

_____

Même les parties de votre discours qui semblent le plus évidentes méritent réflexion. Peut-être vous dites-vous : «Ah bon ! mon nom mérite réflexion ?» Oui ! Il est bon de se pencher sur la question des présentations.

Préférez-vous vous introduire de façon familière ou cérémonieuse ? Utilisez-vous votre deuxième prénom, vos initiales, votre surnom ? Recourez-vous à une version abrégée de votre nom, trop long ?

Que faites-vous dans la vie ? Voilà une question qu'on vous posera quasi invariablement. Là encore, votre façon de répondre en dira long sur vous. Moi, je dirige une société de conseil, et je me décris habituellement comme une consultante et *coach*. Je n'entre dans les détails que si on me demande de le faire. Il m'est arrivé d'entendre une collègue se présenter comme une «propriétaire d'entreprise». Cela laissait entendre qu'elle s'identifiait plus au fait d'être propriétaire d'une entreprise qu'aux produits ou services offerts.

Que faites-vous dans la vie? _____ _____

_____

Que voulez-vous faire dans la vie? _____

_____

De quelles réalisations êtes-vous le plus fier?

1. _____

2. _____

Qu'est-ce qui vous distingue des autres? _____

_____

Qu'est-ce qui vous motive le plus dans votre travail? _____

_____

OK. Nous avons suffisamment déblayé le terrain. Examinez ce que vous avez noté ci-dessus. Réunissez les éléments les plus importants en une déclaration de 10 phrases au plus.

_____

_____

_____

_____

_____

_____

_____

LA PREMIÈRE PHRASE

Après avoir aidé bien des gens à préparer leur petit discours, j'ai constaté que la plupart rédigent des préambules plutôt ennuyeux. Ne les imitez pas! Il vous faut faire dans le «tape-à-l'oreille» dès le début de votre discours. Captivez l'attention de votre interlocuteur en lui décrivant ce que vous aimez le plus de votre travail ou en lui racontant une petite anecdote. Parler de choses qui vous stimulent donnera du punch à votre discours. La passion est contagieuse. En tant que *coach*, j'ai pu constater que mes clients s'animent en racontant une histoire prenante ; par contre, s'ils abordent un sujet quotidien (s'ils se mettent à présenter des statistiques, par exemple), leur entrain disparaît.

Votre discours ne doit pas être une description exhaustive de votre personne. Il se situe plus près de l'annonce-amorce. C'est vraiment une minipublicité à votre sujet. S'il est efficace, il suscitera le désir de votre interlocuteur de vous connaître davantage. Quand vous aurez compris cela, vous ne serez plus tenté d'exposer tous les tenants et aboutissants de votre métier dans les quelques minutes dont vous disposez. Éveillez la curiosité de votre vis-à-vis plutôt que d'épuiser votre sujet.

Les personnes qui vous écoutent veulent obtenir deux types d'informations. D'une part, elles sont en quête de données : «J'ai étudié à l'établissement renommé X, où j'ai obtenu le très prestigieux diplôme Y. » D'autre part, elles cherchent à savoir qui vous êtes vraiment, ce qui est bien plus intéressant à leurs yeux. Elles remarqueront notamment votre apparence, votre sincérité et votre attitude. La plupart d'entre elles n'auront même pas conscience de glaner de tels renseignements à votre sujet, parce qu'elles ne se baseront pas sur vos déclarations pour ce faire, mais sur des signaux bien plus discrets. Pourtant, c'est en s'appuyant sur de tels indices – du moins, en grande partie – que votre interlocuteur décidera s'il veut ou non continuer la conversation et, éventuellement, entrer en relation avec vous.

Dans un premier temps, exercez-vous à prononcer votre discours devant un miroir. Ensuite, faites cet exercice devant un ami dont le jugement vous semble sûr. Notez le temps qu'il vous faut pour prononcer votre discours. Concentrez-vous sur ce qui marche le mieux. Si vous vous sentez d'attaque, répétez l'exercice en l'adaptant à un autre scénario et à des buts secondaires que vous vous êtes fixés.

Accords et désaccords : la modulation

Quand on cherche un travail, il est essentiel d'établir une complicité minimale avec ses interlocuteurs. Pour ce faire, il importe de moduler sa façon de communiquer de façon qu'elle s'harmonise avec celle des autres. Il faut à tout prix éviter de détonner. L'exemple suivant illustre l'importance de ce dernier point : je rentrais chez moi après un voyage d'affaires. Je devais prendre un vol de correspondance à Oklahoma City, mais il a été retardé. J'ai poireauté deux heures à l'aéroport pendant qu'on repoussait sans cesse l'heure d'arrivée de mon avion. Il était presque 22 h quand on a annoncé aux passagers patientant avec moi que le vol en question avait été annulé. Cette annonce tardive tombait particulièrement mal, car elle signifiait qu'on ne sortirait pas de l'aéroport avant le matin. Une longue file de passagers déçus et épuisés s'est déversée dans l'aérogare déserte.

Personne n'était content. Soudain, une préposée au service à la clientèle a bondi vers nous. Elle était toute guillerette et tout sourire. Pour tout dire, elle me faisait penser à une figurante de Disney World. Mais nous étions à mille lieues de Disney World. L'humeur de la préposée tranchait tellement avec celle de la clientèle que même les passagers les plus dociles ont failli éclater. Quel culot ! Comment osait-elle être aussi imperméable à notre situation, aussi détachée, alors que la soirée s'annonçait désastreuse pour nous ! Tout simplement désastreuse !

Moduler son ton, c'est se mettre au diapason des autres, ce qui suppose qu'on reconnaît l'état dans lequel ils se trouvent. Ce n'est *pas* crier et trépigner pour manifester son soutien à une personne bouleversée ; ce n'est pas non plus afficher une attitude extrêmement décontractée alors que la situation est pénible, et risquer de donner l'impression qu'on ne la saisit pas et, pis, qu'on s'en moque. Il faut montrer qu'on comprend qu'autrui soit bouleversé dans certaines circonstances. En faisant preuve d'empathie, on n'indique pas qu'on réagirait à la situation de la même façon que les autres : on valide, toutefois, leur réaction émotionnelle plutôt que de n'en faire aucun cas.

La bonne humeur est contagieuse – dans la plupart des circonstances. Il est cependant tout aussi important de se mettre au ton du groupe que de se montrer aimable. Voici un exemple : supposons que vos collègues viennent de sortir d'une conférence sur les répercussions potentiellement désastreuses du réchauffement climatique. Ne vous sentez pas obligé de faire une remarque du genre : « Qu'il fait beau aujourd'hui ! Quelle chaleur pour une journée de janvier ! »

Accords et désaccords : la modulation (suite)

Conclusion : quand vous rencontrez des gens dans l'espoir de bâtir des relations avec eux – que ce soit dans un contexte de recherche d'emploi ou dans un contexte de réseautage –, remarquez leur humeur et la façon dont ils s'expriment : leur ton, le volume de leur voix, leur style. Pour vous adapter le mieux possible au contexte, exercez-vous à modifier votre style de base.

Voici un autre exemple : on m'a déjà informée que j'étais un peu forte en gueule (on vient d'éliminer un autre stéréotype sur les introvertis, soit dit en passant !). Pourtant, j'ai habituellement assez de jugeote pour baisser le ton quand je rencontre un client qui a tendance à parler bas. Ma personnalité n'en demeure pas moins intacte. J'ajuste simplement mon mode d'expression afin de conserver une bonne relation avec mon client.

Suivre son propre rythme

Structurez votre recherche en vous fixant des priorités. Pour réussir, vous devez connaître vos limites. Ne surchargez pas votre calendrier hebdomadaire de réunions professionnelles propices au réseautage. Présentez-vous plutôt à une réunion par semaine (si possible), puis évaluez votre performance, votre réaction intime et votre capacité à assurer un suivi. Considérez les diverses activités de réseautage dans lesquelles vous pourriez vous engager ; tenez compte de leur type, de leur fréquence et de leur envergure. Vous saurez ainsi comment gérer votre calendrier et quels types d'activités cibler.

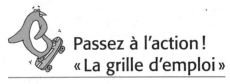

Passez à l'action !
« La grille d'emploi »

Le réseautage peut se transformer en un projet vague, mal défini, quasi informe. Voyez si la **grille d'emploi** présentée ci-contre peut répondre à vos besoins en matière de réseautage, du moins sous une forme modifiée. Il s'agit d'une «insta-structure» permettant de développer son infrastructure. Épatant, non?

Voici comment utiliser la grille. Dans chacune des quatre cases, inscrivez le nom de cinq personnes. Pas plus. La **case A** est réservée aux rencontres où est née, du moins en apparence, un intérêt mutuel. Dans ce cas, l'action requise est de cultiver la relation afin de déterminer si elle pourrait vous ouvrir des possibilités en matière d'emploi.

Dans la **case B,** inscrivez le nom d'individus ayant exprimé le désir d'entretenir une relation avec vous, mais seulement si *vous* n'êtes pas convaincu de l'intérêt ou de l'utilité de la chose.

Dans la **case C,** écrivez le nom de gens que *vous* trouvez intéressants, mais qui ne vous montrent aucun intérêt – du moins pour le moment.

La **case D** est réservée aux individus dont vous avez entendu parler dans divers cercles ou qu'on vous a suggéré de contacter. Il s'agit donc de personnes que vous n'avez jamais rencontrées ou que vous ne connaissez pas assez bien pour savoir ce qu'elles pensent de vous.

Moi ▶	Ça m'intéresse	Pas certain
Eux ▼	**A.**	**B.**
Intérêt manifesté	1)	1)
	2)	2)
	3)	3)
	4)	4)
	5)	5)
Pas sur leur écran radar	**C.**	**D.**
	1)	1)
	2)	2)
	3)	3)
	4)	4)
	5)	5)

Si on fait un réseautage actif et bien structuré, on devrait pouvoir remplir ces cases à n'importe quel moment.

Mise en garde: si vous inscrivez plus de noms que le tableau n'en prévoit, vous risquez de ne plus pouvoir gérer ces relations, trop nombreuses.

Chapitre 10

Les voyages d'affaires

*En toute rencontre avec une autre personne,
on laisse quelque chose de soi.*

— Fred Rogers

---

a. Pourquoi un extraverti se joint-il à vous pour le dîner durant un voyage d'affaires ?

b. Pourquoi un introverti se joint-il à vous pour le dîner ?

---

b. Pour ne pas paraître impoli.

a. Pour se détendre et prendre un bon repas après une longue journée.

Réponses

Prendre le temps de réfléchir

Parlons de la personne qui sera assise à côté de vous quand vous prendrez votre prochain vol transcontinental.

Je peux entendre d'ici votre cri de protestation : « Je ne veux même pas penser aux conversations qu'il faut endurer en avion. » (Quand il s'agit d'affirmer leur position, les introvertis savent indéniablement se faire entendre.)

Et vous vous demandez pourquoi vous avez peu de relations ?

Je parierais qu'on peut attribuer aux introvertis 75 % des ventes des énormes écouteurs antibruit qui étaient à la mode dans les années 1970. Eh oui ! les introvertis les enfoncent sur leurs oreilles pour exclure toute possibilité de conversation avec des compagnons de voyage.

Enlevez vos écouteurs un moment, je vous parle !

Concluons un marché. Vous pouvez faire semblant de ne pas entendre vos voisins de siège pendant au moins 90 % de la durée du vol. Je ne vous demande que 10 % de votre temps. Cela ne vous semble-t-il pas plus que raisonnable ?

Je voyage beaucoup en avion pour aller à des réunions où je dois prendre la parole, puis pour revenir chez moi. Et il me faut souvent lutter contre la fatigue en puisant dans mes dernières réserves d'énergie. Je sais donc ce que c'est de ne pas vouloir parler. Pourtant, j'ai fait la connaissance de personnes merveilleuses en avion. Et ce, sans avoir besoin d'anesthésie.

Voici ma meilleure « histoire d'avion ». J'étais engoncée dans mon siège et je travaillais sans tenir compte de mes voisins. Je lisais les évaluations qu'on avait faites à mon sujet en tant que conférencière. Les réactions des auditeurs étaient plus que flatteuses. « Devora est la meilleure consultante que j'aie jamais rencontrée », avait écrit Untel. « Je n'assisterai dorénavant qu'aux réunions animées par Devora », avait noté un autre.

Mon voisin a soudain interrompu ma rêverie (quel toupet !) en me demandant : « Êtes-vous consultante ? » Naïve comme toujours, j'ai répondu : « Comment le savez-vous ? » Il a reconnu avoir jeté un coup d'œil sur mes formulaires d'évaluation. Je lui ai tendu le paquet en lui disant : «Prenez-les!» Il s'est avéré que cet homme travaillait pour une grosse société qui l'avait tout récemment nommé vice-président de la formation professionnelle, région Nord-Est. Il a parcouru les évaluations et m'a demandé ma carte professionnelle; inutile de vous préciser la suite. (Oui, nous continuons à faire affaire ensemble.) Dans ce cas-là, je n'ai vraiment pas eu à montrer de l'initiative. Habituellement, il faut faire un peu plus d'efforts...

Notes de terrain

Les introvertis, les voyages et le courrier électronique

Plus on voyage à des fins professionnelles, plus on en vient à dépendre des courriels ou des messages textes pour communiquer avec le bureau principal de sa société.

Les introvertis et le courriel font-ils bon ménage? Ils ont un rapport d'amour-haine.

J'ai eu comme client un cadre introverti qui se disait absolument hostile à la technologie. Il a fini, cependant, par reconnaître qu'il aimait bien le courrier électronique. Il m'a expliqué ceci : «Ça me permet de réfléchir à mes réactions et de peaufiner mon texte avant de lui donner une forme définitive; de plus, je n'ai pas à dialoguer avec d'autres quand je suis épuisé.»

C'est là le côté amour du rapport amour-haine. Voyons l'autre côté : le courrier électronique tend à encourager un examen trop poussé du texte reçu, de sorte qu'on risque de lui attribuer un sens qu'il n'a pas. De plus, on n'y détecte pas les nuances d'expression et la complicité que seules les relations humaines immédiates procurent.

Les introvertis semblent entretenir avec les courriels un rapport étrange et ambigu, qui se rapproche de la codépendance. (Si jamais des psychologues lisent cela, ils en auront beaucoup à dire sur mon usage désinvolte de termes psychologiques. 'Scusez, pardon!) Nous, introvertis, sommes fascinés par l'idée «d'avoir une conversation sans avoir de conversation», comme le disait l'un de nous.

Les voyages de retour chez soi en avion ou en train offrent des occasions idéales pour expédier une série de courriels rapides, du genre «heureux d'avoir fait connaissance». Rédigez ces messages alors que les conversations en cause sont encore fraîches dans votre esprit. Évidemment, si vous conduisez une voiture au retour, cela n'est guère possible.

LEÇON 1

Vous ne savez JAMAIS qui est assis à côté de vous. C'est une leçon que j'ai apprise à mes dépens. J'étais alors une étudiante de maîtrise à l'université Cornell. Je me rendais d'Ithaca, New York, à Manhattan en avion pour une entrevue d'embauche importante. J'étais assise à côté d'un monsieur distingué, grisonnant, qui révisait des documents destinés à la publication. Je ne faisais pas attention à lui: j'étais occupée à étudier des documents décrivant la société qui me faisait venir par avion (pratique relativement nouvelle à ce moment-là). Mon voisin a entamé la conversation.

Cela ne m'intéressait pas, mais j'ai demandé poliment: «À quoi travaillez-vous?» Il m'a répondu: «J'écris un livre.» J'ai souri d'un air indulgent et j'ai dit: «Eh bien, bonne chance!» Puis je me suis replongée dans ma lecture.

À l'arrivée, j'ai partagé un taxi avec quatre autres étudiantes de ma classe (nous n'avions pas les moyens de prendre chacune un taxi). Elles se sont empilées à mes côtés, tout excitées: «Nous n'en croyions pas nos yeux! T'es vraiment chanceuse! Pourquoi ces choses-là n'arrivent-elles qu'à toi?»

Je n'avais pas la moindre idée de ce à quoi elles faisaient allusion. Tout le monde dans l'avion – sauf moi – avait reconnu mon voisin de siège: c'était le doyen de l'université Cornell, une personnalité majeure de la communauté universitaire et un homme d'affaires respecté. Il avait aussi la réputation de prendre certains étudiants sous son aile. J'avais laissé échapper une occasion tombée du ciel.

Ne laissez pas une telle chose vous arriver.

Épilogue: je n'ai plus la moindre idée de l'entreprise ni de l'emploi pour lesquels je préparais une entrevue durant ce voyage. Je crois qu'on ne m'a pas fait d'offre. Le seul fragment de souvenir à jamais gravé dans ma mémoire, c'est que j'ai allègrement traité de haut le président de l'université Cornell.

Toute personne que vous rencontrez peut se transformer en un intervenant majeur dans votre vie. Ça arrive. Cette possibilité ne vaut-elle pas quelques minutes de votre temps?

Je ne dis pas qu'il faut bavarder pendant toute la durée d'un vol. Montrez-vous simplement aimable: saluez posément toute personne déjà assise dans votre rangée au moment où vous vous y installez.

Comme je me munis de gomme à mâcher pour le décollage et l'atterrissage, j'en offre toujours à mes voisins. Peu importe qu'ils disent oui ou non ; c'est un geste attentionné et opportun. Voici d'autres entrées en matière possibles, selon la position de votre siège :

☺ Préférez-vous que le store soit ouvert ou fermé ?

☺ Voudriez-vous ce journal (ou ce magazine) ?

☺ Voulez-vous que j'allume la lampe pour vous ?

Après ce préambule, je retourne à mon travail ou à mon livre.

J'engage la conversation pour la deuxième fois après qu'on nous a servi les boissons ou les collations. Toujours pour me montrer aimable, je lance une ou deux remarques. Si la réaction de mon voisin est enthousiaste, je laisse habituellement les échanges se poursuivre quelques minutes, puis je soupire et dit une des phrases suivantes :

☺ Malheureusement, j'ai un tas de travail à faire !

☺ Et maintenant, je vais retourner à mon livre ; excusez-moi.

☺ J'ai vraiment besoin d'une sieste avant l'atterrissage.

☺ Ç'a été très agréable de m'entretenir avec vous !

Soyez ferme et amical. Une courte phrase suffira à convaincre vos interlocuteurs que vous n'agissez pas par manque d'intérêt à leur égard.

De temps à autre, il vous arrivera de souhaiter sincèrement qu'une conversation se poursuive – soit que vous croyez que la relation présente un réel potentiel, soit que vous sentez qu'un lien s'est déjà spontanément établi. Dans les deux cas, tant qu'il semble y avoir un intérêt réel de part et d'autre, autant jouir de l'entretien. Puis, dans les 24 heures suivantes, assurez un suivi amical en envoyant un courriel ou un message texte.

Préparez-vous à faire face à une réaction insolite de temps en temps. Récemment, lorsque j'ai proposé le journal que j'avais lu à un extraverti, j'ai dû écouter sa description exhaustive de ses faits et gestes des quatre derniers mois. Il ne m'a épargné aucun détail et, surtout, aucune difficulté. (Je n'ai jamais prétendu qu'il soit facile de suivre mes conseils.) Je lui ai adressé un sourire plein de compréhension, je l'ai félicité de sa ténacité et je lui ai servi une des quatre phrases passe-partout précédentes. Il s'est tourné promptement vers la personne assise de l'autre côté du couloir et, sans même reprendre son souffle, a poursuivi sa conversation avec ce substitut.

Imaginons maintenant que l'atterrissage approche. Si vous aimeriez développer une relation que vous venez d'amorcer, ranimez la conversation et offrez votre carte professionnelle avec vos meilleurs vœux. (Il va sans dire que vous avez *toujours* vos cartes à portée de main, où que vous alliez.) Il reste peut-être peu de temps pour converser, mais le vol s'achève sur une note amicale...

Et voilà! C'était une formule pour l'avion...

 ## Assimiler

Les voyages d'affaires peuvent être pénibles. L'introverti a besoin d'être seul de temps en temps, ce qui peut constituer un défi considérable durant un voyage, un congrès, une réunion ou une séance de ressourcement. Il peut subir de fortes pressions, tant externes qu'internes, pour faire «du social» et du réseautage – ce qui lui imposera de délicats «arbitrages». Certes, les voyages lui offrent la possibilité de faire de nouvelles connaissances dans des environnements uniques; mais, s'il s'y prête à l'excès, il épuisera toute son énergie.

Définissez votre emploi du temps *avant* d'entreprendre un voyage ou, tout au moins, pendant que vous êtes en route. Dressez une liste d'occasions éventuelles de réseautage, telles que les repas, les activités prévues ou le temps libre. Puis révisez votre liste et amputez-la de moitié. Ainsi, la moitié de votre temps libre vous sera réservée, et l'autre moitié sera consacrée aux autres. Pour ce qui est des activités sociales, la plupart des introvertis gagnent à établir un calendrier plutôt qu'à se fier à l'inspiration du moment. Décidez quand, où, avec qui et pourquoi vous allez établir des relations. S'il y a une réception d'accueil, projetez d'y aller avec une personne que vous connaissez si cela est possible. Ce sera plus agréable.

Notes de terrain

Ce n'est que le déjeuner !

Durant les séminaires que j'organise, mes clients dînent souvent ensemble. Habituellement, je m'exempte élégamment – du moins, j'aime le croire – de ce repas de groupe en prétextant que j'ai du travail à faire. Mais, un jour, en consultant mes formulaires d'évaluation, j'ai constaté qu'on avait écrit ceci sous la rubrique des améliorations possibles : « Devora devrait dîner avec nous. » Je me suis sentie interpellée par ce commentaire.

Il y a toujours des pour et des contre. La meilleure situation pour moi, c'est celle où je présente, juste avant le repas du midi, les distinctions entre introvertis et extravertis. Alors, en allant manger, les participants rigolent et me saluent en disant : « Nous vous inviterions à prendre un verre avec nous, mais nous savons bien que, pour vous, la solitude est le meilleur remontant. »

DITES NON

Soyez bref. Moins, c'est plus ! Répétez après moi :

« Merci, mais je vais rester tranquille ce soir. »

Aucun besoin d'explication ou d'excuses élaborées, qui permettent simplement aux autres de vous relancer. Exemple à éviter :

« J'ai besoin de mon sommeil. »

« Tu pourras dormir en avion demain ! » ou

« Je suis sûr que nous serons de retour à 10 h ! »

Une telle discussion ne mérite pas qu'on lui consacre de l'énergie ; ce serait une perte d'énergie. Peut-être pensez-vous que je n'ai jamais affronté les extravertis obstinés, enragés que vous connaissez. Eh bien, jetez un coup d'œil sur les deux exemples de dialogue présentés ci-après ! Vous noterez que le fait qu'on soit animé de bonnes intentions permet à l'autre d'insister lourdement. Devant de telles pressions, on finit par culpabiliser. Dans les deux cas, l'extraverti a le même comportement ; seules les réactions de l'introverti diffèrent.

MAUVAIS

E : Hé! vous vous joignez à nous ce soir, non? On se rassemble tous dans le hall d'entrée à 6 h 30.

I : Euh… *(I n'a pas préparé de réponse et essaie d'en improviser une au dernier moment.)*

E : Bravo! Ça sera formidable – d'abord l'apéro, puis le dîner dans un superbe resto.

I : Ah! c'est qu'en fait, avec la journée qu'on a eue, je suis complètement crevé.

E : Vous avez plus d'une heure pour vous reposer! Rencontrons-nous au bar à 6 h, avant les autres.

I : Bon, peut-être.

E : Ne soyez pas un lâcheur! Tout le monde y sera.

I : Je pense que je vais rester tranquille, ce soir.

E : Mais vous venez de dire oui! On ne vous voit jamais à nos sorties. Les gens vont se mettre à jaser.

I : D'accord. *(I redoute pourtant cette soirée et est furieux contre lui-même.)*

BON

E : Hé! vous vous joignez à nous ce soir, non? On se rassemble tous dans le hall d'entrée à 6 h 30.

I : Je ne pense pas.

E : Ne soyez pas un lâcheur! Tout le monde y sera. Allez, on va s'amuser!

I : Merci; je vais rester tranquille ce soir.

E : Quoi? Vous ne sortez jamais. Les gens vont se mettre à en jaser, ha, ha!

I : Je vais rester tranquille ce soir. Amusez-vous bien. Au revoir, à demain!

Si vous vous imaginez qu'en agissant ainsi vous rejetez les autres, il est temps de faire du recadrage. Considérez la situation sous un autre angle : dites-vous qu'il est très bien que les extravertis profitent à fond de leur voyage. Et, tout comme eux, vous profitez pleinement du vôtre.

Jusqu'à quel point protégez-vous votre « temps à soi » ? Ça dépend de votre degré d'énergie du moment et du type d'introverti que vous êtes. Une personne fortement introvertie a besoin de plus longues périodes de solitude entre les réunions, surtout si elle est fatiguée. Une personne moins introvertie et plus disposée sortira avec les autres le soir à condition de rentrer tôt. Si c'est là votre intention, organisez-vous pour pouvoir revenir à l'hôtel par vous-même. Comme ça, vous pourrez vous éclipser sans embarras ni culpabilité.

« Suivre son propre rythme

Dressez une liste des occasions possibles de réseautage. Marquez d'une étoile celles qui vous intéressent le plus sur le plan personnel. Il m'est arrivé d'assister à une conférence importante qui consistait, pour l'essentiel, en quatre jours de réseautage. J'ai assigné des priorités aux différentes activités et j'ai prévu de petites pauses fréquentes. La conférence avait lieu à Washington D.C., et une des soirées se déroulait au Musée national de l'aéronautique et de l'aérospatiale. J'avais décidé d'avance d'éviter toutes les soirées sauf celle-là, car elle promettait d'être intéressante – de plus, je savais que je pouvais explorer le musée si j'avais besoin d'être seule. Comme je ne m'étais pas épuisée en participant à toutes les activités sociales au programme, j'ai eu une soirée des plus agréables et j'ai pu entrer en contact avec des personnes formidables.

Quand vous êtes intéressé, vous êtes intéressant.

Quand vous vous investissez pleinement dans une activité stimulante, vous êtes au sommet de votre forme, ce qui se répercute favorablement sur la qualité de votre réseautage.

LE CAS DE L'INTROVERTI PROLIXE

Quand un introverti se découvre des points communs avec une autre personne, il tend d'instinct à demeurer auprès d'elle. S'il vous arrive de vous retrouver dans cette situation, suivez la ligne de conduite suivante : après quelque 10 minutes de conversation, offrez à votre interlocuteur la possibilité de vous quitter, surtout si l'activité qui vous rassemble ne fait que commencer. Souvenez-vous : lui aussi est là pour faire la connaissance de gens. Il ne tient probablement pas à être piégé trop longtemps par une seule conversation, si agréable soit-elle.

Vous voudrez sans doute le quitter en lui laissant une impression favorable, d'où l'importance de mettre un terme à la conversation avant qu'elle ne soit coupée de silences gênants – en d'autres termes, avant que vous n'ayez plus rien à vous dire. Offrez à votre vis-à-vis une porte de sortie élégante : « Voulez-vous reprendre vos rencontres avec d'autres personnes ? Je serai heureux de poursuivre notre entretien plus tard. » Vous devriez, vous aussi, faire le tour de la salle, maintenant que cet échange agréable vous a donné de l'assurance.

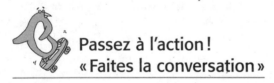

Passez à l'action !
« Faites la conversation »

Vous rencontrez un extraverti qui se met à tout vous raconter à son sujet, et ce, sans le moindre préambule. Vous jugez qu'il vous confie beaucoup de choses personnelles. Mais ce jugement, vous vous en rendez compte, reflète le point de vue subjectif d'un introverti. Allez-vous…

A. l'écouter attentivement et lui poser des questions judicieuses jusqu'à ce que son monologue prenne fin ?

ou

B. lui offrir à votre tour certains renseignements sur votre vie personnelle, même si cela vous met mal à l'aise ?

En l'absence d'une préparation sérieuse, ce sont là les deux seules options qui s'offrent à vous. Seul le choix A, fidèle à votre nature, vous serait acceptable. Et pourtant, une telle relation, à sens unique, ne peut se maintenir longtemps ; elle n'est satisfaisante pour aucune des deux parties.

Mais vous, dans votre infinie sagesse, avez décidé de lire ce livre. Et, par bonheur, ensemble, nous pouvons mettre au point une solution de rechange de loin plus intéressante que les premières possibilités envisagées. Notre situation me rappelle un épisode de ma vie d'étudiante inscrite à un programme de MBA. À la fin d'un examen de comptabilité, j'ai remis ma copie à mon professeur ; j'avais presque raté l'examen. Après avoir patiemment passé en revue chacune de mes réponses, il m'a dit en souriant : « Je parie que, à nous deux, nous aurions pu avoir un A ! » Mais revenons à nos moutons.

Une bonne préparation convient aux introvertis, car nous pensons avant de parler. Une planification préalable rend confortable une situation qui s'annonçait décourageante.

1. Préparez une liste de renseignements à votre sujet qui sont professionnels et utiles.

2. Préparez une liste d'informations personnelles que vous êtes disposé à divulguer.

Assurez-vous que ces renseignements soient :

☺ courts

☺ favorables

☺ passe-partout

☺ faciles à communiquer

☺ susceptibles d'intéresser, mais sans indiquer de vantardise

☺ adaptés à la situation (ils doivent avoir des points communs avec votre interlocuteur)

Pour enclencher le processus, remplissez le petit questionnaire ci-dessous :

Informations professionnelles

☺ Mon emploi actuel et mon lieu de travail

_____

☺ Ce qui me motive dans mon travail

_____

☺ Une de mes réalisations professionnelles

_____

☺ Un emploi intéressant que j'ai occupé dans le passé, notamment à mes débuts

_____

☺ Une de mes citations préférées

_____

☺ Un de mes objectifs professionnels

_____

Informations personnelles

☺ Mes passe-temps et centres d'intérêt

_____

☺ Je viens de…

_____

☺ Je suis fier de…

_____

☺ Mes vacances récentes ou préférées

_____

☺ Une information relative à ma famille

_____

☺ Un de mes objectifs personnels

_____

Avec une personne à qui vous faites confiance (un collègue, un ami ou un membre de votre famille), exercez-vous à lire ces formules à voix haute. D'une part, vous les mémoriserez, de sorte qu'elles vous viendront rapidement à l'esprit quand vous en aurez besoin. D'autre part, la personne qui vous écoute vous suggérera des façons d'intégrer harmonieusement ces phrases dans une conversation.

Certaines formules peuvent aussi servir à amorcer des échanges. Voici quelques exemples :

> « Ma fille adorerait cet endroit ! »
> « Cela est si différent de Québec ! »

« Je viens de faire une très belle promenade à l'extérieur – le temps était superbe. »

« J'ai commencé à jardiner, et je rêve de faire pousser des poivrons comme ceux-ci dans mon potager. »

« Ce programme est bien conçu. Il n'est pas facile d'organiser une conférence ! »

Ou bien, posez des questions :

« Que savez-vous du conférencier principal de demain ? »

« Vivez-vous loin d'ici ? »

« Quand êtes-vous arrivé ? »

« Avez-vous des tuyaux sur ce qu'on peut faire d'intéressant ici ? »

« Depuis combien de temps travaillez-vous dans ce secteur ? »

« Avez-vous déjà assisté à une telle conférence ? »

Et ainsi de suite. Plus vous vous exercerez à trouver ce genre de formules, plus il vous sera facile d'en inventer.

Assurez-vous que vos commentaires sont positifs plutôt que plaintifs. Certains ont tendance à lancer des remarques critiques à une fréquence ahurissante. Cela révèle bien des choses sur leur personnalité. Voici quelques exemples :

☹ Cette sélection culinaire n'est pas très inspirée.

☹ N'aurait-on pu nous offrir un transport de groupe ?

☹ Ces insignes se détachent trop facilement.

☹ Il semble qu'on ait lésiné cette année…

☹ Je déteste ces activités.

☹ Ce conférencier ne va-t-il jamais cesser de parler ?

☹ Je ne supporte pas cette ville.

☹ Quel temps horrible !

☹ Je suis épuisé.

☹ Regardez-moi ces files d'attente devant les consommations !

☹ Cet hôtel a vu de meilleurs jours.

Une telle liste pourrait remplir un livre – un livre long et pas particulièrement inspirant. Je suppose qu'il est évident que j'ai participé à beaucoup de conférences. Par profession, je suis toujours aux aguets. J'ai entendu toutes ces remarques, et bien d'autres encore, durant des activités de réseautage. Voudriez-vous fréquenter des gens susceptibles de lancer de tels commentaires? Non? Moi non plus. Ne les imitez pas.

En ce qui a trait aux menus propos, on peut faire passer une stratégie longuement méditée pour de l'improvisation, mais encore faut-il avoir une stratégie. Des questions formulées judicieusement permettent de stimuler discrètement une conversation.

Si vous venez de rencontrer quelqu'un, je ne vous recommande pas de lui poser des questions sur sa famille, car vous risquez de l'embarrasser. La famille est, pour plusieurs, un sujet délicat. Par contre, la remarque suivante est inoffensive: «Ma fille adorerait cet endroit.» Elle peut servir à entamer la conversation quand les circonstances s'y prêtent. Voici des exemples de réactions possibles à une telle ouverture:

☺ Quel âge a-t-elle?

☺ Avez-vous une photo d'elle?

☺ J'ai une fille, moi aussi…

☺ J'ai des fils, qui démoliraient cet endroit!

Cela vous permettra d'orienter la conversation différemment.

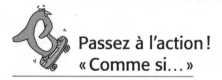

Passez à l'action!
«Comme si…»

Bienvenue dans le monde du recadrage *comme si*. Je suis si heureuse que vous vous joigniez à nous dans cette présentation de versions nouvelles et améliorées de la réalité!

Voici comment ça marche. Mettez sur papier n'importe laquelle des convictions limitantes qui orientent votre vie sociale. Ce peut être pratiquement *n'importe quoi*. Si vous ne voyez pas où je veux en venir, faites-moi confiance et notez un fait – lié, même de loin, au réseautage – qui vous semble vrai. Si vous hésitez à vous compromettre, voici quelques exemples qui pourraient vous aider:

- ☺ Je ne peux pas réseauter.

- ☺ Les gens ne m'aiment pas.

- ☺ C'est bien de se montrer aimable, mais pas quand on n'est pas fidèle à soi-même.

- ☺ Je suis incapable de m'affirmer davantage.

- ☺ Hélène ne s'intéresse pas à ce que j'ai à dire.

Et maintenant, que se passerait-il si vous vous conduisiez *comme si* ce que vous croyez n'était pas vrai ? Ne craignez pas de vous éloigner de la réalité objective – de toute façon, il n'y a pas vraiment de réalité (rappelez-moi de traiter cette question dans la suite que je donnerai à ce livre.) Le recadrage *comme si* vous met au défi de vivre *comme si* c'était autre chose que vos croyances qui était vrai. Juste pour rire, exercez-vous à remplacer vos convictions de la liste précédente par des affirmations tirées de la liste ci-dessous. Mais souvenez-vous : le recadrage est un acte de foi – les gens logiques préféreront peut-être qu'on utilise le terme *acceptation des invraisemblances* –, car il ne s'agit pas de savoir de façon sûre si quelque chose est ou non un fait empirique. L'idée, c'est de penser autrement afin de mieux réussir, et non de gagner un concours-débat.

Si vous vous conduisiez *comme si* les énoncés suivants étaient vrais, en quoi cela changerait-il votre comportement ?

- ☺ Je peux réseauter.

- ☺ Les gens m'aiment.

- ☺ Je peux me montrer aimable en demeurant fidèle à moi-même.

- ☺ Je peux m'affirmer davantage quand je rencontre des gens.

- ☺ Je m'intéresse à ce qu'Hélène peut avoir à dire.

- ☺ Hélène s'intéresse à ce que j'ai à dire.

- ☺ Je m'intéresse à ce que j'ai à dire.

Voulez-vous que je vous montre une autre utilisation intéressante de cet outil qu'est le *comme si* ? Rappelez-vous la dernière fois que, durant une activité sociale ou professionnelle, vous avez dû parler longuement avec la *mauvaise personne*. Je pense que vous savez ce que je veux dire : une personne que vous avez classée, dans votre sagesse instantanée et infaillible, parmi les gens qui ne vous sont d'aucune utilité. Vous pouvez protester que vous n'entretenez pas de pensées aussi dures envers les autres. Admettons. Même si c'est vrai, vous vous reconnaîtrez peut-être dans le petit monologue intérieur que voici :

« Pourquoi ai-je pris la peine de sortir ce soir ? Me voici pris à parler avec ce lourdaud. Non mais vraiment ! Il m'énerve ! Je me suis fait prendre au piège et, maintenant, cette soirée est une pure perte de temps. *(Bâillement.)* Si je promène mon regard assez longtemps sur la salle, peut-être que ce gêneur va enfin comprendre et me laisser. Mais je n'aurai pas cette chance. Comment pourrais-je filer élégamment ? »

Je vous propose d'adopter l'attitude inverse pendant une période d'essai de trois mois. Dites-vous que tout un chacun est la bonne personne – même si ce n'est que le temps de la rencontre en question. Que se produira-t-il ?

Je vais avancer une hypothèse éclairée, fondée sur les expériences de plusieurs centaines de mes clients.

Donc, vous choisissez de croire que votre interlocuteur est bien celui qui doit se trouver en face de vous au moment où il l'est. Grâce à votre façon innovatrice d'aborder les gens, vous le traitez bien. Vous devenez vous-même plus animé, moins distrait, plus intéressé et plus intéressant, ce qui présente de nouvelles possibilités pour les deux.

Je suis assez douée pour déchiffrer les gens : je décèle des indices subtils et je remarque des indicateurs de personnalité. Pourtant, il m'arrive régulièrement de me tromper à propos des individus qui deviendront un jour les « bonnes personnes » dans ma vie. Je suis contente de me tromper, de ne pas pouvoir toujours distinguer ceux qui seront un jour importants pour moi et ceux qui seront bientôt oubliés.

Je crois qu'il est important de se souvenir de sa faillibilité.

Conduisez-vous *comme si* tout le monde était la bonne personne. Le recadrage *comme si* comporte d'infinies variations. Faites des folies ! Faites-vous plaisir ! Vous pouvez utiliser cet outil en tout temps et en tous lieux.

Cela dit, d'après mon expérience, le meilleur moment pour faire l'essai de nouveaux comportements, c'est quand on est en voyage.

Chapitre 11

Organiser des activités qui conviennent à tous

*Le voyage de découverte consiste à poser
sur le paysage un regard nouveau.*

— Marcel Proust

Supposons que vous soyez entièrement responsable de l'organisation d'une activité. Quelqu'un d'autre s'attribuera peut-être le mérite de sa réussite, de sorte que c'est lui qu'on remerciera du haut du podium quand viendra le grand jour, mais vous et moi savons que c'est vous, en réalité, qui vous êtes occupé de tout. Il se peut qu'il ne s'agisse pas officiellement d'une activité de réseautage mais, comme nous en avons déjà convenu, tout constitue du réseautage potentiel...

Comment organiser et diriger une activité qui convienne aux introvertis? Comment appliquer votre propre connaissance des types de personnalités au développement d'activités adaptées à divers styles?

Commencez par le commencement.

Prendre le temps de réfléchir

Réfléchissez bien. Lorsque vous planifiez une activité, organisez-vous une séance de remue-méninges pour lancer le processus? Beaucoup le font. Les membres du comité organisateur discuteront alors du thème et de l'envergure de l'événement, et de presque tous ses autres aspects, dont l'endroit où il se tiendra. Mais ils ne participeront pas tous à l'échange: la plupart des séances de remue-méninges sont intrinsèquement biaisées en faveur des extravertis. Considérez ce qui suit.

Quelqu'un se tient face au tableau, devant le groupe, et est muni d'un gros marqueur. Il présente le sujet de réflexion. Il invite aux suggestions. Certains participants lancent des idées, qui sont dûment enregistrées au vu de tous. D'autres se taisent. L'observateur novice en conclut que seuls les participants actifs se sont engagés dans le processus, alors que ceux qui gardent le silence sont (à vous de choisir) distants, déconcentrés, débiles, distraits ou désinvoltes. Et encore, ce ne sont là que des qualificatifs qui débutent par la lettre d...

Ceux qui participent à l'échange sont des extravertis. Le processus est conçu pour des gens qui parlent pour penser. Car, au fond, dans la plupart des séances de remue-méninges, l'idée est de parler jusqu'à ce que le groupe se rallie autour d'une idée.

Toutefois, les introvertis, eux, réagissent à la question posée en pensant avant de parler. Malheureusement, le temps qu'ils aient suffisamment médité une idée pour songer à la formuler, on est généralement passé à la prochaine phase du processus, soit l'analyse et la priorisation des contributions de chacun. (Rappelons qu'une séance de remue-méninges est habituellement menée à vive allure.) Il y a une exception à cette règle : les introvertis s'expriment rapidement et pleinement quand on aborde un sujet qui les intéresse particulièrement.

Par bonheur, on peut facilement remédier à la terrible injustice dont ils sont victimes pendant les séances de remue-méninges.

Lorsque vous dirigez une telle séance en vue d'une activité prochaine, informez le groupe du sujet ou de la question en cause. Distribuez de quoi écrire. Demandez ensuite aux participants de prendre un moment pour réfléchir à des solutions possibles, puis de coucher leurs idées sur papier.

Une ou deux minutes suffisent amplement : les introvertis ne sont pas lents, seulement réfléchis. Vérifiez l'heure. Ne vous fiez pas à votre propre jugement pour deviner quand la minute sera passée – le temps s'écoule plus vite pour la personne debout devant un groupe que pour les participants assis.

Invitez ensuite le groupe à exposer oralement ses idées ou à vous les remettre sous forme de notes. Vous pouvez lire celles-ci à haute voix et les ajouter à la liste inscrite au tableau. Il est fort possible que vous recueilliez beaucoup plus d'idées que d'habitude, car le groupe entier aura participé à ce remue-méninges.

Ce qu'on ne voit pas

Pourquoi s'imagine-t-on que les introvertis dynamiques sont en fait des extravertis? La plupart des conclusions de ce type sont basées sur des observations imparfaites.

Prenons mon cas. À des réunions, on me voit circuler allègrement çà et là, bavardant avec toutes sortes de gens, débordante d'énergie. Comment est-ce possible? C'est que les gens ne remarquent pas tout. S'ils m'observaient plus attentivement, ils s'apercevraient que je m'éclipse fréquemment pour me requinquer. Que je privilégie les tête-à-tête et m'éloigne doucement des entretiens de groupe. Que je n'assiste presque jamais aux programmes de la soirée et que je préfère me retirer tôt. Que, pendant les conférences, j'avale tout rond mes repas (habitude que je ne recommande pas) et que je pars tôt pour jouir de «temps à soi» additionnel. Que, aux réunions, je réfléchis et note mes idées avant de contribuer aux échanges. Et que, dans les petits groupes, je tâte le terrain avant de formuler mes opinions.

Si je suivais les conseils de réseautage pour extravertis, je réprimerais mes instincts et me forcerais à me plonger le plus possible dans la vie sociale – ce qui donnerait des résultats désastreux.

Cela dit, attention! quand les introvertis réussissent à établir avec quelqu'un une relation plus approfondie, ils n'hésitent pas à se défaire de leur carapace.

Assimiler

Vers le début du processus de préparation d'une activité, prenez le temps de découvrir les ressources cachées dont vos collaborateurs disposent. Renseignez-vous sur leurs centres d'intérêt, sur leur expérience et sur leurs compétences. Pour ce faire, distribuez un petit questionnaire : cela encouragera les introvertis à s'exprimer et à fournir des réponses détaillées. N'oubliez pas de parler de l'activité projetée à votre entourage, ce qui vous permettra peut-être de profiter d'idées ou de contributions nouvelles. Vous pourrez ainsi éviter des situations comme la suivante : un de mes clients, un OSBL, a dirigé une activité importante destinée à mettre en valeur les coutumes d'une culture lointaine. Ce n'est que par la suite que l'organisateur s'est rendu compte que l'épouse d'un collègue appartenait à cette culture. La femme en question aurait pu constituer une ressource merveilleuse, mais personne n'avait songé à faire circuler, dans l'organisme, des renseignements sur l'activité (l'organisme était de taille moyenne).

Quelle est la meilleure façon d'intégrer des introvertis, des centrovertis et des extravertis dans une discussion quelconque? La solution est contre-intuitive. Bien des gens supposent que les introvertis ne veulent pas qu'on les pousse à faire des rencontres. Les introvertis eux-mêmes prétendent ne pas aimer les efforts visant à les mettre en rapport avec des inconnus. Ne les croyez pas! Mon expérience m'a appris que les interactions nombreuses et structurées leur conviennent très bien. Les extravertis, eux, se lient avec des étrangers quelles que soient les circonstances. Ce sont les introvertis (et centrovertis) qui trouvent cela difficile. Coordonner des méthodes pour mettre en rapport les participants et les inciter à soutenir une conversation, c'est accorder une grande faveur à vos amis introvertis, croyez-moi.

RIEN NE VA DE SOI, SOUVENEZ-VOUS-EN

Quand je planifie des réunions à titre de consultante, on vient souvent se plaindre à moi du manque de ressources – du manque de temps, d'argent, de bénévoles, etc. Mais je remarque que le comité organisateur fait toutes sortes de suppositions gratuites à propos de ce que les gens seraient prêts à faire ou à donner, ou non. C'est une grave erreur!

Pour ne rien arranger, ces suppositions sont souvent négatives. À titre d'exemple, les organisateurs peuvent s'imaginer que seuls les extravertis forcenés voudront participer à des activités de réseautage. C'est précisément le contraire qui est vrai. Moins une personne aime réseauter, plus il est probable qu'elle acceptera de participer à une activité qui comporte des interactions structurées. Elle rechignera, mais elle s'inclinera.

« Suivre son propre rythme

Pour qu'une réunion de réseautage convienne à tout le monde, elle doit combiner structure et temps libre. Parmi les douzaines d'activités favorisant l'intégration qui me sont connues, les exemples ci-dessous sont les plus faciles à mettre en œuvre et à adapter selon les goûts. Une ou deux activités de ce genre par réunion suffisent amplement.

DES CARTONS DE TABLE

On peut faire des choses étonnantes avec des cartons de table. Si, si! Mon approche donne les meilleurs résultats dans le cas de conférences de taille petite ou moyenne (de 40 à 200 participants), où les repas sont pris en groupes. En faisant preuve d'un peu de créativité, écrivez sur les cartons des descriptions de tous les genres (*parle trois langues et plus; joue au golf; détient un doctorat; sait jongler; aime cuisiner; est un lecteur vorace...*). Puis placez un carton auprès de chaque couvert. Assurez-vous d'avoir en main une réserve de cartons remplis et de cartons blancs. À mesure que les participants arrivent, invitez-les à s'asseoir à une place où le carton donne une description qui leur convient. Cette technique de rapprochement offre un double avantage. Chacun se retrouvera à côté de gens relativement différents de lui; de plus, chaque carton servira de mini-déclencheur de conversations grâce aux sujets d'entretien qu'il propose. Si certains ne réussissent pas à trouver une description qui leur plaît, ils pourront en choisir une autre dans la réserve de cartons remplis ou bien en rédiger une.

DE L'ART SUR LES INSIGNES

Joignez aux porte-noms des stylos multicolores. Demandez aux participants d'ajouter sur leur insigne un petit dessin qui symbolise quelque chose de particulier à leur sujet. Cela aidera les gens à rompre la glace quand ils iront circuler dans la salle : ce sera plus utile que la plupart des conversations servant à faire connaissance. J'ai mis cette méthode à l'essai auprès de groupes sérieux et conservateurs, et ils en ont aimé les résultats.

UN BINGO INTERACTIF

Dans ce type d'activité, un peu de travail préalable et de créativité s'avèrent rentables. Créez plusieurs versions différentes de cartes de bingo. Divisez chaque carte en cases : 4 en largeur et 4 en hauteur, pour un total de 16. Pour ma part, j'invente environ 10 versions par soirée, mais 4 ou 5 suffisent. Dans chaque case, notez un attribut, un passe-temps ou un trait différent (*jardinier ; pitre de sa classe ; aime la neige ; infatigable ; né pour conduire* ; les qualités spécifiques doivent alterner avec des caractères généraux, des métaphores, etc.). Faites assez de copies pour donner une carte à chaque personne, en même temps qu'un stylo ou un crayon. Limitez le jeu à cinq minutes. Les participants doivent trouver quelqu'un qui possède, lui aussi, un des traits consignés sur sa carte et lui demander d'apposer sa signature sur la case en question. On ne peut signer sa propre carte et on ne peut demander plus d'une signature à la même personne. À la fin, vous pourrez donner un prix modeste au gagnant (ou aux gagnants) – celui qui aura fait signer le plus de cases. Cette activité prend peu de temps, stimule le groupe et incite les gens à poursuivre leurs discussions à partir des faits recueillis au cours du jeu.

UN ACCUEIL MUSICAL

Vers le début d'une séance d'accueil informelle, prenez un micro et branchez des haut-parleurs. Demandez à toutes les personnes de vous écouter, le temps que vous présentiez une brève activité. Dites-leur que vous ferez jouer de la musique (environ 15 secondes par interlude), période pendant laquelle ils pourront se déplacer. Quand la musique s'arrêtera, vous poserez une question, et chaque participant se tournera vers un voisin qu'il ne connaît pas encore. Ils se présenteront l'un à l'autre et se communiqueront la réponse à votre question. N'accordez qu'une minute environ à chaque interaction ; favorisez le mouvement. Voici quelques exemples de questions ou de sujets :

- Quel a été votre premier emploi ?
- Décrivez votre repas de rêve.
- Quel talent caché avez-vous ?
- Où avez-vous passé vos dernières vacances ?
- Parlez de quelque chose que vous avez gagné.

De cette façon, en moins de 10 minutes, chacun aura la possibilité de faire la connaissance de 5 personnes.

Apprenez les noms

J'ai entendu dire que le plus beau mot qui soit est le nom qu'on porte.

Un client me communiquait son impression d'un collègue haut placé : « C'est vraiment un type bien », a-t-il déclaré. Puis il a réfléchi et ajouté en riant : « Ou peut-être est-ce seulement qu'il se souvient toujours de mon nom... »

Il est indispensable d'apprendre et d'utiliser le nom des autres si on espère se rapprocher d'eux.

Au début de certains séminaires que j'anime, les participants se présentent brièvement. Presque personne n'écoute les autres. Pourquoi ? Parce que chacun prépare et se répète mentalement ce que *lui* projette de dire.

Une heure plus tard, je prends le groupe par surprise en lançant un concours : quiconque saura le nom de tous gagnera un prix. Cette déclaration est accueillie par un silence ponctué de rires nerveux. La plupart du temps, un participant – habituellement un introverti – récite alors avec méthode et assurance, mais sans fanfare, les noms de toutes les personnes présentes.

J'ai été témoin de cela des dizaines de fois. Les extravertis se concentrent sur la parole, et les introvertis, sur l'écoute. Ce sont donc les introvertis qui sont portés à écouter attentivement – et qui se rappellent ce qui a été dit.

Il reste que la plupart des introvertis et des extravertis ne passent pas l'examen sur *Les rudiments de la mémorisation des noms*.

Voici des trucs utiles et éprouvés que mes clients m'ont confiés :

1. Il faut d'abord se soucier de retenir le nom d'autrui. On l'admet difficilement mais, souvent, on ne se souvient pas des noms, parce qu'on ne s'intéresse pas suffisamment aux gens. Soyons honnêtes. Plusieurs sont incapables de répéter un nom quelques secondes à peine après l'avoir entendu. *Nous ne faisons simplement pas attention.* Concentrez-vous sur votre activité et sur la personne qui se trouve devant vous.

2. Utilisez son nom jusqu'à trois fois au cours de votre première conversation. Plus serait trop.

3. Lorsqu'on vous présente à quelqu'un, regardez-le droit dans les yeux en répétant son nom.

4. Établissez des associations.

   a. Si le nom de votre interlocuteur vous est familier, associez-le à celui d'une autre personne de votre connaissance pour vous aider à vous en souvenir.

   b. Si son nom est insolite, demandez quelle en est l'origine.

5. Peu de temps après la rencontre initiale, notez les renseignements pertinents – lieu de la rencontre, sujets de l'entretien et suivi envisagé.

Utilisez un système de mémorisation en harmonie avec votre système primaire de perception – auditive, visuelle ou kinesthésique. Si vous ne savez pas lequel vous convient le mieux, essayez les trois pour découvrir la technique qui donne les meilleurs résultats dans votre cas.

Système de perception auditive	Système de perception visuelle	Système de perception kinesthésique
Prononcez le nom trois fois durant l'entretien initial.	Visualisez le nom écrit.	Imaginez une activité dont le son constitue une allitération lorsqu'il est placé à côté du nom de votre interlocuteur (Richard ratisse, Catherine cuisine).
Demandez comment il s'épèle, puis répétez le nom pour confirmer que vous l'avez bien saisi.	Faites-vous une image visuelle du nom.	Remarquez comment la personne se tient.
Vérifiez-en la prononciation.	Regardez le porte-nom.	Remarquez l'humeur et le comportement de la personne.
Établissez un lien entre le nom et la voix.	Établissez un lien entre le nom et les vêtements de la personne.	Notez le nom de la personne peu de temps après la conversation.

Rappelez-vous une chanson où il est question de ce nom, si possible.	Liez le nom au visage.	Si vous êtes assis dans un groupe, dressez-en le plan et placez les noms des personnes.
Chantonnez le nom dans votre tête.	Évoquez l'image d'une personne connue de vous qui porte le même nom.	Tracez dans l'air les lettres du nom de la personne... après avoir quitté celle-ci, bien sûr.

FAITES VOTRE PART

Aidez les autres à se rappeler votre nom. C'est un complément important des efforts que vous faites pour vous souvenir du leur.

Les noms populaires et bien connus varient beaucoup selon la culture, le pays, la région. Vous êtes le premier à savoir si votre nom est commun ou non. Connaissez-vous trois personnes ou plus qui portent le même prénom que vous? Les gens dont le nom est plutôt rare peuvent ne connaître quasiment personne qui se nomme comme eux. Ils sont donc habitués à répéter et à épeler leur nom aux gens qu'ils rencontrent.

Tous	Noms courants	Noms insolites
Gardez votre porte-nom durant toute la durée de l'activité.	Demandez à votre interlocuteur s'il connaît une personne qui a le même nom que vous.	Épelez votre nom lentement.
Placez l'insigne sur votre poitrine en haut à gauche – là où les yeux sont plus portés à se poser.	Précisez l'épellation.	Évoquez une rime ou un autre moyen mnémotechnique.
Répétez votre nom.	Évoquez une personnalité bien connue qui porte le même nom.	À vos prochaines rencontres, présentez-vous de nouveau.

LA DISSONANCE COGNITIVE

Permettez-moi de rafraîchir vos souvenirs du cours de psychologie 101 que vous avez suivi, dans votre folle jeunesse, dans le seul but d'obtenir une note de passage: je vais vous rappeler ce qu'est la dissonance cognitive. Ce phénomène psychologique désigne le penchant humain à vouloir avoir raison en tout temps. Supposons que j'ai une théorie, à laquelle je deviens attaché. Si une information ou une expérience vient la contredire, mon cerveau se mobilise pour infirmer les nouvelles données et s'accrocher à ma théorie. Nos cerveaux recueillent loyalement ce qui conforte nos croyances et oublient, écartent ou infirment ce qui va à l'encontre de nos idées.

Un exemple permettra de mieux comprendre ce phénomène. Vous croyez peut-être que les pires chauffeurs sur la route font partie de tel sous-groupe de la population. Évidemment, vous gardez généralement votre opinion pour vous. Mais, maintenant, je vous demande d'y penser. Pas besoin de m'en toucher un mot! Je ne veux pas que ma théorie à ce sujet soit brouillée par la vôtre. Bref, imaginez que vous conduisez sur l'autoroute et que vous êtes pressé. Vous roulez sur la voie de gauche, dans une zone où la vitesse est limitée à 90 km/h. Vous décidez de dépasser cette vitesse, mais pas au point de vous faire arrêter. Vous filez donc à 100 km/h quand soudain, droit devant vous, vous apercevez une voiture qui traîne à la vitesse incroyablement lente de 80 km/h. Et ce, dans la voie rapide! Vous doublez cette auto et, au passage, vous ne pouvez résister à la tentation de jeter un coup d'œil sur le conducteur pour vérifier votre théorie personnelle sur les mauvais chauffeurs. Ha, ha! Il fait bien partie du sous-groupe auquel vous pensiez! Vous le *saviez*! Vous ressentez un brin de satisfaction lorsque vous constatez que vous aviez raison.

Reprenons maintenant le même scénario, sauf que, quand vous jetez un coup d'œil sur l'autre chauffeur, vous constatez qu'il ne fait *pas* partie du sous-groupe en question. Laissez-vous tomber votre théorie? Pensez-vous: «Eh bien! voilà une bonne leçon sur la nature humaine; j'avais tort»? Non. Vous haussez les épaules et vous dites: «Hum! étrange…» Et vous poursuivez votre chemin. C'était là un non-événement. Une donnée évacuée.

Quel rapport y a-t-il entre cet exemple et la création d'activités qui conviennent à tous? Lorsque vient le temps de gérer des activités spéciales, on fait souvent des suppositions sur ce qui fera vibrer ou non les participants – et on cherche des données pour être conforté dans son hypothèse. En prenant conscience des pièges que comporte la dissonance cognitive et des limites qu'elle impose, on s'ouvre aux idées nouvelles et différentes.

Chapitre 12

Définir des résultats, atteindre des objectifs

On ne peut voir son reflet dans l'eau courante ;
ce n'est que dans l'eau dormante qu'on peut le voir.

— Proverbe taoïste

Questionnaire « Désintégration des objectifs »

Vrai ou faux ?

La plupart des gens n'atteignent pas leurs objectifs parce qu'ils n'ont pas la volonté de persister.

Faux. Cette idée erronée démoralise ceux qui veulent faire des changements favorables. Si on n'atteint pas un objectif, c'est habituellement parce qu'il a été mal défini.

Réponse

Des résultats comme objectifs

Il y a bien des façons de définir des objectifs. La meilleure consiste à se concentrer sur ce qu'on cherche précisément à réaliser. J'ai enseigné cette technique à d'innombrables clients, et j'ai constamment obtenu des résultats favorables et mesurables.

Il m'est arrivé de conseiller Carlos, un cadre supérieur d'une société faisant partie de la liste *Fortune 500*. Tout indiquait qu'il était respecté et qu'il avait réussi. Pourtant, il se sentait en marge de sa société, et il souhaitait faire des progrès en matière de réseautage.

Plutôt qu'un objectif vague (comme chercher à sortir davantage), je lui ai fixé un plan ambitieux, mais précis. Reconnaissons tout d'abord que les défis, comme toute autre chose, sont subjectifs : leur nature dépend de la situation de chacun. Carlos travaillait dans un État américain, mais il vivait dans un autre. Il se dévouait à son emploi. Chaque jour de la semaine, il arrivait tôt au travail, passait la journée au bureau ou en réunion, faisait de la gym, puis retournait à l'appartement qu'il louait. La fin de semaine, il prenait l'avion pour retrouver sa vie de famille chaleureuse. En tant qu'introverti, il était plutôt satisfait de cet arrangement.

Il était convaincu, cependant, qu'il serait bon pour sa carrière qu'il élargisse son réseau et qu'il noue des liens avec des homologues travaillant dans la même société que lui. Nous sommes tombés d'accord sur l'objectif suivant, qui était exigeant, mais réalisable : deux fois par mois pendant trois mois, Carlos inviterait des personnes qu'il connaissait peu à dîner ou à prendre la pause-café avec lui. Nous avons même dressé un tableau du suivi. Je crois dur comme fer à l'utilité de la version adulte du tableau à autocollants. S'il existe depuis si longtemps, c'est qu'il est utile. Il y a quelque chose de profondément satisfaisant à enregistrer ses réalisations (ses « bons points ») dans de petites cases. Il m'arrive souvent de fabriquer pour mes clients des tableaux d'objectifs adaptés à leur situation particulière. Les introvertis peuvent les soustraire aux regards indiscrets en les rangeant dans un tiroir. Nul besoin, après tout, de faire état de ses progrès sur le babillard du bureau !

Carlos a atteint son objectif, et il a acquis de nouvelles habitudes lui permettant d'entrer en rapport avec d'autres d'une manière qui le mette à l'aise, soit en organisant des tête-à-tête.

Il aurait pu se fixer pour objectif de réseauter mieux et plus souvent. Mais de tels objectifs sont voués à l'échec. Pourquoi ? Parce que la plupart sont mal définis. Ils sont généraux et imprécis, de sorte qu'on ne peut mesurer les progrès faits pour les atteindre et savoir si on a réussi. Le mieux est de recourir à des objectifs liés au résultat !

En premier lieu, choisissez un objectif qui fait appel à vos points forts. Ça multipliera vos chances de réussite. Prenez un moment pour passer vos atouts en revue.

Les introvertis performants s'illustrent :

☺ dans les entretiens en tête-à-tête

☺ par leur expertise dans certains domaines

☺ dans les domaines de l'écriture et de la réflexion

Les points forts des introvertis comprennent :

☺ une attention concentrée sur les autres

☺ une très bonne capacité d'écoute

☺ un suivi systématique

Les extravertis performants s'illustrent :

☺ dans les discussions de groupe

☺ par leur capacité d'aborder toute une gamme de questions·

☺ durant des interactions ou des activités sociales

Les points forts des extravertis comprennent :

☺ la promotion de projets et de personnes

☺ la capacité d'engager des conversations

☺ le don de susciter un vif intérêt envers de nouvelles idées

Centrovertis ! décidez des points forts que vous admettez posséder et allez de l'avant sur cette base.

Les objectifs liés au résultat comportent cinq caractéristiques qui mènent à un succès durable. Ils sont :

POSITIFS

Énoncez vos objectifs en utilisant des termes positifs. Travaillez pour vous rapprocher d'un objectif désiré, pas pour vous éloigner d'un aboutissement indésirable. Tout objectif exprimé négativement peut être reformulé positivement. Par exemple, vous dire «je vais cesser d'éviter les réunions de réseautage» ne donnerait rien. Ce serait plus efficace de vous fixer cet objectif : «Je vais assister à au moins deux activités de réseautage dans les six prochains mois. »

CONTRÔLABLES

Même le plus introverti d'entre nous dépend des autres quand vient le temps d'accéder à certaines ressources. Toutefois, l'atteinte d'un objectif bien conçu dépend essentiellement de soi. Un objectif mal formulé, lui, est tributaire des autres ou dépend d'aléas naturels.

ATTEIGNABLES... AVEC DES EFFORTS

Les objectifs liés au résultat ont une envergure et une portée appropriées. Ils sont conçus pour maximiser la motivation et l'effort. Un objectif bien formulé atteint un équilibre parfait : il est exigeant, mais réalisable. Si vous croyez qu'un objectif est hors d'atteinte, vous ne chercherez pas à le concrétiser. Si vous croyez qu'il est pratiquement «acquis», vous ne vous efforcerez pas non plus de l'accomplir. Si vous le jugez à la limite de vos capacités – s'il vous paraît extrêmement ardu, mais si vous pouvez imaginer l'atteindre –, il est parfait.

ÉCOLOGIQUES

Le mot écologique ne désigne pas ici ce qui est bon pour l'environnement, encore que ce serait là un avantage appréciable. Concevez plutôt votre vie comme un écosystème. Si un aspect de votre vie est déséquilibré, l'harmonie d'ensemble de votre vie sera compromise. Pour favoriser cette harmonie, votre objectif doit concorder avec d'autres aspects importants de votre existence, et non les concurrencer. Harmonisez vos objectifs avec vos valeurs et vos convictions – cela ne signifie pas seulement que votre objectif soit éthique ; bien des objectifs sont éthiques sans pour autant être réalisables dans certaines circonstances ou à certains moments de sa vie.

MESURABLES

Imaginez que vous êtes un détective. Vous avez besoin d'indices spécifiques pour savoir si vos buts sont atteints. Réfléchissez : quels indices vous confirmeront que vous avez réussi ? Nombreux sont ceux qui se fourvoient sur ce point et qui formulent des objectifs flous, donc voués à l'échec. Ils se disent : « Je vais rencontrer plus de gens ! Je vais assurer un suivi plus rigoureux ! Je vais quitter ma bulle confortable ! Je vais le faire ! » Vous savez quoi ? Ils ne le feront pas. Car comment sauront-ils s'ils y sont parvenus ou non ?

Tout but peut être formulé précisément. Un objectif vague ne peut être atteint ; un objectif clair et précis, si. Par exemple, « je vais étendre mon réseau professionnel » deviendra « je vais m'inscrire cette semaine à la conférence annuelle de l'industrie qui aura lieu en mai et je vais organiser immédiatement mon voyage ». Il faut se lancer, cesser d'équivoquer.

Vous trouverez ci-après un formulaire à votre usage. Quand vous l'aurez rempli, souvenez-vous que les objectifs le plus efficaces sont ceux qui sont partagés – ne serait-ce qu'avec quelques confidents privilégiés. Le fait de parler à d'autres de votre but vous confirme dans votre engagement, vous vaut des appuis et vous responsabilise davantage.

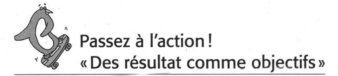 ## Passez à l'action !
« Des résultat comme objectifs »

Les réponses aux deux questions suivantes constituent un fondement solide pour le développement d'objectifs liés au résultat.

Qu'est-ce que je veux ?
En quoi un réseautage réussi pourra-t-il contribuer à mon succès ?

_____

_____

_____

CARACTÉRISTIQUES DU RÉSULTATCOMME L'OBJECTIF

A. **Énoncez l'aboutissement attendu en utilisant une tournure posi-tive.** Vous pouvez vous fixer l'objectif de vous rapprocher de ce que vous voulez, mais non de vous éloigner de ce que vous ne voulez pas.

Mon objectif est : _____

_____

B. **Assurez-vous que l'aboutissement dépend de vous.** Viser des résultats qui dépendent trop des actions d'autres personnes, c'est mal concevoir son objectif.

Ai-je les ressources pour arriver aux résultats visés et pour conserver ces acquis?

_____

_____

Sinon, quel appui, quelles compétences, quels matériaux me faut-il obtenir?

_____

_____

C. **Mettez en contexte les résultats visés.** Ils devraient avoir une envergure et une portée appropriées. Les résultats bien formulés sont exigeants, mais réalisables.

Où, quand et avec qui vais-je parvenir au résultat visé?

_____

_____

D. **Choisissez un aboutissement écologique.** Harmonisez-le avec vos valeurs et avec vos convictions. Demandez-vous quelles conséquences l'atteinte de votre objectif aura dans le contexte de votre travail professionnel et de vos relations.

Que me faudra-t-il délaisser ou assumer pour réaliser mon objectif?

_____

_____

E. **Comment formuler une description vérifiable, et perceptible par les sens, de l'aboutissement visé?** Déterminez quelle sera la «preuve» qu'un aboutissement visé a été atteint. Décrivez ce dernier aussi précisément que possible.

Quelle indication aurai-je que mon objectif est atteint? Comment un aboutissement réussi sera-t-il perçu sur les plans visuel, auditif et tactile?

_____

_____

Mon premier pas, d'ici une semaine, sera...

_____

_____

Cette dernière étape est la plus importante. On a dit que le monde est plein de grands débutants, mais qu'il y a peu de grands finissants. N'importe qui peut commencer à cultiver de nouvelles habitudes, mais peu de gens transforment leurs intentions en des changements réels.

Conclusion

À la revoyure !

*Regardez attentivement où vous mène votre cœur,
et mobilisez toutes vos forces pour suivre cette voie.*

— Proverbe hassidique

Poursuivez votre chemin

Une façon sûre d'échouer, c'est de faire semblant d'être ce qu'on n'est pas. Cela semble évident. Pourtant, c'est une voie que beaucoup empruntent, en vain. Un facteur qui joue un rôle énorme dans le succès du réseautage, c'est de s'accepter tel qu'on est, tout en se présentant de façon aussi favorable que possible.

L'établissement de liens réels et durables, ainsi que la découverte de la « connectivité » : voilà la façon nouvelle, améliorée, de développer un réseau fort et durable.

TOUT BIEN RÉFLÉCHI

Je ne pense pas qu'il soit vrai qu'on apprenne de l'expérience. Je ne sais pas ce qu'il en est dans votre cas, mais moi, je suis capable de faire et de refaire la même bêtise sans rien en conclure.

En réalité, on apprend quand on *réfléchit* à l'expérience. Par la réflexion, on tire les leçons de l'expérience ; par la curiosité, on reconnaît les types de comportements. C'est ainsi – plutôt qu'en condamnant les autres ou soi-même – qu'on apprend et qu'on progresse en tant que personne. Considérez l'énoncé suivant, qui est un principe de base de la programmation neurolinguistique (PNL) :

L'échec n'existe pas ; seule la rétroaction existe.

Penser « j'ai échoué » est une dérobade. Cela sert d'excuse. Mais ça ne marche plus ; je ne vais pas vous laisser vous en tirer aussi facilement.

Essayez l'approche suivante, inspirée du recadrage. Considérez vos échecs comme des signaux qu'un changement s'impose et comme des occasions d'amélioration. Cette façon de penser demande beaucoup plus d'énergie que de se dire : « J'ai tout loupé. » Cessez de vous retrancher dans une mentalité qui ne fait que vous confiner.

Que se passerait-il si vous remplaciez le concept d'échec par celui d'occasion ?

危
机

Le caractère chinois qui précède signifie crise. Il se compose de deux formes superposées. *Wēi*, danger, figure dessus, et *jī*, occasion, est dessous. Comme le suggère le caractère entier, ce qui se présente d'abord comme un danger recouvre une occasion à exploiter.

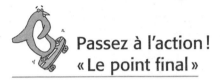

Passez à l'action !
« Le point final »

Voici un exercice rapide que j'ai fait faire à des milliers de clients. Il n'est pas mal du tout. Faites-en l'essai tout en lisant les lignes qui suivent (mais sans tenir le livre). Tenez-vous debout pour faire circuler le sang. Il ne doit rien y avoir dans vos mains. Secouez-vous. Tendez un de vos bras droit vers l'avant, et pointez l'index tout droit devant vous.

Ramenez maintenant ce bras derrière vous aussi loin que possible, sans bouger le reste de votre corps (continuer de faire face à l'avant). Jetez un coup d'œil derrière vous pour voir jusqu'où va votre bras. Tournez la tête pour voir derrière, sans bouger le bras. Notez vers quoi vous pointez derrière vous. Secouez-vous. Revenez à la position de départ et répétez l'exercice mais, cette fois-ci, ramenez le bras encore plus loin en arrière. Regardez de nouveau. Avez-vous réussi à pointer plus loin que la première fois ? Fait remarquable, tous ceux qui ont fait cette expérience ont obtenu un meilleur résultat à leur deuxième tentative.

Qu'est-ce qui a fait la différence entre le premier et le second essai ? Un tout petit détail : l'injonction d'aller plus loin. J'avais pourtant précisé, la première fois, qu'il fallait aller aussi loin que possible. Il n'y aurait donc pas dû y avoir de différence entre le premier et le deuxième résultat ! Alors, comment avez-vous pu aller encore plus loin un instant plus tard ?

À vous de me le dire.

Remerciements

Tout d'abord, je remercie Mark Morrow de m'avoir mise en relation avec les éditions Berrett-Koehler. Mark m'a menée là où il me fallait aller, et j'ai rencontré à cet endroit des personnes exceptionnelles, dont, en premier lieu, Jeevan Sivasubramaniam. Je me suis toujours étonnée de la chance qu'avaient certains auteurs – ceux qui saluent leur «éditeur et ami» dans leurs pages de remerciements – et, maintenant, c'est à mon tour de le faire. Sauf que Jeevan est aussi mon illustrateur, mon confident, mon thérapeute et mon alter ego. C'est aussi mon critique le plus avisé. La personne qui a édité ce texte, Steve Piersanti, n'est rien de moins qu'un génie. Son intelligence, sa compassion, sa profondeur et sa perspicacité m'ont permis de me dépasser. De plus, c'est quelqu'un de vraiment bien.

Pour leurs précieux conseils, et pour leurs observations et leurs retouches judicieuses, je remercie les personnes qui ont révisé le manuscrit: Christopher Morris, Linda Norton, Douglas Hammer et Katherine Armstrong (qui incarne le zèle). Jeremy Sullivan a inlassablement retravaillé les illustrations avec Jeevan et s'est discrètement acquitté de nombreuses autres tâches. J'adore chacune des personnes œuvrant chez Berrett-Koehler, et je remercie en particulier Kristen, Katie et Mike pour les efforts constants qu'ils déploient avec générosité et bienveillance. La remarquable communauté d'écrivains qu'est le BK Authors Co-op m'a accueillie à bras ouverts – avant même que je puisse dire: «Je puise mon énergie dans la solitude!» Je remercie tout particulièrement mon nouvel ami et guide, John Kador.

Je remercie du fond du cœur James Killian et le regretté Alan Pike, qui m'ont appris à écrire et, entre parenthèses, à vivre. Je remercie aussi Elaine Biech, qui a publié nombre de mes écrits chez Wiley et qui m'a encouragée à prendre mon essor.

Finalement (ou devrais-je dire premièrement?), je vous suis infiniment reconnaissante, mes chers amis et ma famille, de m'avoir témoigné un soutien aussi constant qu'inconditionnel. Si je vous désignais tous par votre nom, on aurait du mal à croire que je suis introvertie. Si vous ne savez pas qui vous êtes, je promets de vous le rappeler régulièrement – juste avant de vous demander un autre service.

Faites-nous part
de vos commentaires

Assurer la qualité de nos publications
est notre préoccupation numéro un.

N'hésitez pas à nous faire part de
vos commentaires et suggestions
ou à nous signaler toute erreur
ou omission en nous écrivant à :

livre@transcontinental.ca

Merci !

Les Éditions
Transcontinental